生きた言語とは何か

思考停止への警鐘

Oshima Hitoshi
大嶋 仁

弦書房

装丁・写真＝毛利一枝

目次

はじめに

本書は、私たちがとかく言語の奴隷あるいは囚人となりがちだということを言おうとするものです。私たちの言語は、これによって人類が進歩したことは間違いないとしても、実は危険な面もあるということをわかっていただけたらと思います。

言語は記号です。この記号は私たちを生かしもしますが、殺すこともあります。あるアイデアが浮かんでくると、人はそれをすぐ言語にしたがるのですが、これが言語化されて流通していくうちに、もともとの生命が失われ、単なる記号となってしまうのです。そのような記号は、使いやすくはあるけれども思考を空転させ、また真のコミュニケーションを妨げます。

そういうわけで、言語を使うときは、それが生きた言語なのか、死んだ言語なのか、そこを吟味しなくてはなりません。

このような本を出したいと思った理由は、最近話題になっていることですが、人工知能すなわちＡＩの出現と普及にあります。人工知能の最大の問題は、私流に言えば言語の問題です。人工知能は曲線を直線に置き換える数学のテクニック「微分」にも似て、言語の持つ複雑で微妙な曲折を単純な線分に置き換えて翻訳してしまうのです。

そこで失われる部分は言語が思考を活性化する機能であり、また意味の表面的な伝達しかできないために起こるコミュニケーションの問題が浮上します。しかし、多くの人はそのことに気づかず、このまま人工知能への依存度が増加すれば、たいへんなことになることは目に見えています。

人工知能は人類の持つ複雑な知能に比べて明らかに劣ります。しかし、そう思っていない人は意外なほどに多く、今の勢いからすると、この劣性知能への依存度は急速に増していきます。そうなると、しまいにはその知能に人類の知能のほうが合わせることになり、人類の知能低下は歴然としたものとなります。そうなれば人類は人類でなくなり、他の動物ほどの身体的知能をもたないがゆえに、自滅することになるでしょう。

本書ではそのような未来を危惧し、人類の言語の持つ人工知能にない可能性を明らかにしたいと思います。

こうしたことを考えるに至ったそもそもの淵源を探ってみますと、学生の頃フランスに留学した時にたどり着きます。彼の地でそれまで知らなかった言語に触れたことが、私には大きかったのです。とはいえ、それはフランス語という新しい言語に触れたからではありません。フランス人の言語というものの扱い方に驚いた、という方が正しいでしょう。まったくもって、あんなふうに言語を使うということが、私には信じられなかったのです。

まず彼らは一つ一つの語の意味をはっきりつかんでいます。それをしっかりした構造のなかに組み込んで、それで意味を作り出し、相手に伝達します。誤解の余地がこれでずいぶんなくなります。これが私には青天の霹靂でした。

どうしてかというと、私を含め、私の周囲にいた日本人の誰もが、そのような言語の使い方をしていなかったからです。言葉が事物に正確に対応せず、そこにズレやボカシがあり、人の言っていることを聞いて類推で理解し、また自分も人に類推してもらうような使い方をしていたのです。そういうわけで、フランス式の言語使用法には本当にびっくりしました。

フランス式言語使用法にはメリットがあります。物事を正確に、整理して示すことができるというメリットです。この利点によって、知性はかぎりなく進歩するように思えます。

一方、デメリットは感情のコミュニケーションを単純化し過ぎてしまうことでしょう。フランス人は物事をはっきりさせているにもかかわらず、そういう言葉の使い方のせいで、互いの感情を汲みとる力が乏しくなっているように思いました。

それだけではありません。フランス留学中に、あるショッキングな出来事が起こりました。日本にいたころの私は、小林秀雄のあの独特のニュアンスに富む日本語に慣れていたのですが、フランスではデカルトの『方法序説』を毎日つとめて読んだため、それにようやく馴染んだ頃にたまたま手に取った小林秀雄の文章が少しも私のなかに入ってこないという事態が起こったのです。あれだけ自分のものにしていたと思っていた日本語が、今や外国語のように遠く感じられる。ショック以外のなにものでもありませんでした。本書の淵源にはそのショックがあります。

さて、小林秀雄はフランス文学者として出発しています。彼のような日本人が、フランス人が用いるフランス語の表現法に接したら違和感をつよく感じたはずです。彼の書いたものを見ると、一見そんなことは感じていなかったように見えますが、彼のフランス文学における嗜好を見ると、やはり感じていただろうと思います。彼はランボーとベルクソンを偏愛していたのです。

ランボーとベルクソン。この二人は時代も異なるし、文化背景も異なりますが、共通点があります。二人とも直観を重視し、言語を直観より遅れてくるものと捉えています。ベルクソンの場合は、もともと音楽的な直観があり、それを言語に移す作業をしているように見えます。一方のランボーは、フランス語という言語を超えるための超人的努力をして、ついにその向こう側に到達したように見えるのです。小林はそういう二人の言語に真の言語を認め、それらをフランス語というよりはある種の普遍言語と見たように思います。彼の言語と彼らの言語が、日本語とフランス語の壁を超えて繋がったといえるでしょう。

私自身の話に戻ると、留学から帰ってきた日本で、私は自分の脳味噌に住み込んだデカルトの言語と日本語との間で葛藤しました。デカルト式に見れば、日本語の世界は混乱した、なんの整理もついていない世界で、そこには論理もなければ、歴史的発展もない。一方、日本語には東京の都心部の裏道に雑草が噴き出るような野生味があり、その野生味に野蛮さを感じるとともに、新鮮味も感じたのです。

野蛮か野生か、この二つの感覚のあいだを私は往ったり来たりしました。なんとも落ち着かない日々でした。

そこへ、ほとんど天啓と呼べるほどのことが起こりました。レヴィ＝ストロースとの出会いです。留学時代に知り合ったあるドイツ人が買ってくれたレヴィ＝ストロースの『野生の思考』。これを日本に持ち帰ってようやく読み始めると、なんと眩暈がしたのです。その眩暈は私を混乱させるどころか、心の底から落ち着かせてくれた。こんなことは初めてでした。

レヴィ＝ストロースの言語は難しいです。科学用語も多いし、言語学の用語も多い。しかし、どうしてか、それらの連結が詩的感動を与えるのです。非常に論理的に構成されているかに見えて、随所にいきなり直観的な洞察が現れます。私は眩暈とともに、「ああ、これで日本がわかる、日本に還れる」と思いました。

『野生の思考』で、たしかに私は日本を理解しました。日本と和解できました。日本語の持つ野生味は、やはり野生味として評価すべきもので、しかもそれは人類の根底にあるものであって、その意味で普遍的だと納得したのです。以来、私は言われているほど日本人は特殊ではないと思うようになりました。西洋と比べるから特殊に見えるけれども、人類としてはごく当たり前なのだ、と思っています。

私のフランス留学は今から半世紀前の一九七〇年から七二年のこと。本書はレヴィ＝ストロースによって救われたひとりの日本人の告白だと言っても大袈裟ではないと思います。

さて、本書には数学の話も出てきますし、自然科学の話も哲学も出てきます。文学の話も出てきます。そういうわけで、本書は大風呂敷を広げているように見えるかもしれません。しかし、そう見えるのは現代という時代の知が細分化されすぎていて、私たちが非常に断片的な知識しかもっていないからです。私にすれば、そうした断片化した知識がどこかでつながって一つになるはずで、その大きな一つを探し求めると、必然的に風呂敷を大きく広げることになるのです。

本書が想定した読者は、知識に飢えているというより哲学に飢えている人かもしれません。それほどに現代は哲学が欠乏し、また哲学を無意識に求めている人が多いのです。もちろん、文学好きの人も、科学の世界に踏み込んでいる人も歓迎です。また、小中高校の先生にも読んでもらいたい。ただし、書く方がそう望んでも読者がどう反応するか、そこは全くの未知数です。

本書の構成は、第一章でまず概念とはどういうものか、それを考えます。なにしろ、概念がなければ言葉は生まれません。その概念がしまいにどうなってしまうのか、そこに力点を置きます。

第二章では記号というものが本来は動物にも備わっていることを明らかにし、そこから人類の知のあり方を考えたいと思います。イメージが記号の元だという考え方もありますが、記号がイメージより先だという立場を私はとります。

第三章では言語の負の面を強調するつもりです。始めにも言ったように、言語には私たちの命を縮めるような危険な面があり、場合によっては人類を破滅させる力を持っているのです。

最後の章はそれまでの章で得た理論の応用ということになるでしょう。志賀直哉というひとりの作家を論じることで、言語から自由になろうとした一人の人間の努力の軌跡を示したいと思います。

全体として抽象的な議論をしていることに変わりはないのですが、第一章では最後の方でランボーに触れ、言語の野生を考察します。また最終章では日本近代の作家志賀直哉を全面的に取り上げ、ここでも具体的な論を展開します。その他の章にも芭蕉が出てきたり、ベルクソンが出てきたりします。

なぜランボーと志賀直哉に着目したのかといえば、ほかならぬ言語の野生の部分に到達しようとしたのがこの二人の文学者だったからです。言語の桎梏から解放されて「生きた言語」を奪還しようとした文学者として、ランボーと志賀の右に出るものはいないと思えるのです。

本書が読者の中のもやもやを多少でも解消できたらと願います。

第一章　数学の言語とランボー

「概念」という言葉は、わかるようでわからないというのが本当でしょう。この言葉が翻訳語だからわかりにくいというのもあります。翻訳語というものは、ほんとうは原意を理解しないと理解できるものではないのです。

ところが、それがひとり歩きすると使用者の勝手で意味が変わってしまい、その勝手が公に認められるとなると、原意は忘れ去られます。また、最初から原意など気にせずに使用されることも多々あります。

ここで強調しておきたいのは、「概念」とは人間の想像力によって生み出されるものだということです。英語で概念を concept（＝コンセプト）といいます。「妊娠する」という意味を含む conceive という動詞から来ている言葉です。概念とは、したがって「心の内に生まれた考え」ということになります。胎児が母胎内で形成されるように、私たちの心の中に生まれ育っていくのです。

ところが、この概念が世に出ていくとなると、新生児と一緒で名前がつけられます。かくして概念は言葉となって定着し、すこしずつ世間に流布していきます。が、それによって物質化し、ついには命を失った記号と化してしまうのです。

私たちが日常接する言葉の大半は、そうした生命なき記号です。おそらく、多くの人はこのことに気づいていません。

単なる記号となった概念は中身を失って軽くなり、機械的な操作には都合のよいものとなります。これを発すれば、みなが受け入れてくれるような便利な道具となるのです。

本来は人間の思考を動かしていたものなのに、単なる操作記号となって思考を麻痺させる。そういう空疎な記号がメディアに氾濫し、それが力を持つのが今の世です。現在のところ、人類全体の精神がメディアの力で麻痺しているように思えます。「あゝ、あの生き生きした概念よ、今いずこ」と言いたくなります。

1　数の概念

いま言った概念の空洞化の問題を、ここでは数の歴史をたどることで明らかにしようと思います。概念の空洞化は至る所で起こっているのですが、数の概念の歴史は見やすいのです。生き生きとした状態から機械操作のための記号となるまでのプロセス。これを、ゼロという数の概念と、虚数の概念の歴史をとおして見てみたいと思います。

数学が苦手という人は多いと思います。私も苦手です。でも、あるとき悟りました。倉橋由美子という作家の文章に、「数学とはひとつの言語である」という言葉を見つけたからです。どの本だったかは覚えていませんが、私はこれを目にしたとき、自分は数学をしっかり教わってこなかったと思いました。英語を学ぶのには苦労しなかったのに、数学を学ぶことができなかったのです。

その後、数学史の本を二、三冊読みました。そしてわかったのは、数学の考え方は人類の知恵の大事な一部だということです。数学が苦手だからといって、敬遠してはならないと思いました。数学の歴史は簡略にいえば概念の歴史です。数という概念にしても、はじめは1とか2とか3という自然数しかなかったのが、分数や小数へと広がり、やがてゼロと負の数、有理数と無理数、そして実数と虚数というふうに発展してきたのです。これらの概念は、いずれもが人類の想像力の産物であり、それらが数学という学問を動かしてきたのです。

スペインの哲学者にマルソアという人がいて、この人は『哲学史』(*Historia de la Filosofía*)という本を書きました。ふつう哲学史というと、ソクラテスはこう言った、プラトンはこう言った、デカルトはこう言ったというふうに時代順に人物を並べ、それぞれの思想を解説します。ところがマルソアは哲学史とは概念の歴史だと考え、たとえば古代ギリシャ語のロゴスという概念は、もとはどういう意味で、それがどのように変遷していったか、それを記そうとしたのです。

私はこの哲学史の考え方を支持します。数の概念の歴史を見れば、人類の想像力のあらわれとその運命がうかがい知れるでしょう。

数学者によっては、あるいは科学者とか哲学者とかでも、数は人間が考え出したものではなく、自然界に実在しているのだと主張します。となると、数とはリンゴとかミカンのように目には見えないけれど明らかに存在しているものであり、私たちは訓練すればそれが見えることになります。

最近、動物ドキュメンタリーを見ていて、動物にも数学があるんじゃないかと思うようになりました。数が実在していなければ、動物が数学をするはずがありません。しかし、そうであっても、人間が数の概念を見つけるには想像力が必要です。ですから、数は人間の想像力が生み出したものという言い方は、やはり間違っていないと思います。

近代日本の代表的な数学者である高木貞治は、数の概念を整理すべく『数の概念』（一九四九）という書物を著しました。以下にその目次を示します。

§§21　実数体系の特徴

これだけ見てもわかるように、高木は数学者らしく、集合論を用いて整数という小さな集合から実数という大きな集合に至るまでを論理的に関係づけています。それぞれの集合には加法すなわち足し算（引き算も含む）、乗法（掛け算と割り算）の法則が同じように備わっており、同じ原理ですべてが貫かれているのです。まことにすっきりした味わいで、完成された作品という印象を与えます。

しかしながら、正直なところ、この理路整然とした論述には歯が立たないという感じもします。すっきりした味以上の味わいを得ようとしても、得られないのです。

「とんでもない、ここには溌剌とした知性の躍動がある」と感じる秋山仁のような人もいるでしょう（『数の概念』二〇〇ページ）。しかし、そういう人は少なからず数学に通じている人であって、一般読者にはどうしても無味乾燥に思えてなりません。

ここで思い出したいのが、先にも出した倉橋由美子の「数学とはひとつの言語である」です。数学という言語がわからない人に、その味わいがわかるわけはないでしょう。数学とはひとつの言語、いや、ひとつの世界。その世界に入るには、その世界の言語を習得する必要があるのです。

英語とは何かを説明しようとして、英語ぬきで説明できるでしょうか。英語の例文や単語ぬきに、この言語を解らせることは誰にもできないでしょう。英語を理解するには、英語という言語を学ばねばなりません。その当たり前のことが数学にも言えるのです。数学の言語をわからない私が、その言語の味わいを得られないとして当たり前なのです。

数学の言語は私たちの日常つかう言語とちがい、正確で、明瞭で、誤解の余地がありません。もし数学の言語を私たちの日常言語に翻訳すれば、たちまちそこに不純物が入るのです。「翻訳は裏切りに通ず」（Traduttore, traditore）というイタリアの表現がありますが、数学者が数学を説明するために数学の言語を使わないようにする努力は、しないほうがましかも知れません。先に挙げた高木はそう思ったのではないでしょうか。数学を理解するには、数学の言語に習熟する以外に道はないと。

ところで、先に引用した高木の書の目次を見てわかるように、彼はすべての数を扱っているわけではありません。整数からはじめて実数までしか扱っていないのです。すなわち、虚数を含む複素数を扱っていません。

その理由ですが、この書が一般読者向けであるため、高木はそこまで言及していては話が複雑になりすぎると見たのかもしれません。あるいは、複素数をも対象にした場合、その論証に実数までの部分の倍以上の紙数を要するので、紙数オーバーになると見たのかもしれません。

いずれにせよ、複素数は高木のこの書から外されています。それゆえ、彼の本を読んだ人が数の概念の歴史を知るには、複素数に関する別の本を読まなくてはならないのです。幸い、私の手元には示野信一の『複素数とはなにか』（二〇一二）があります。これを参考に、数の概念の歴史をたどることにします。

2　無理数の概念

数の概念として極めて重要なものにゼロがあります。ゼロという概念は、これもわかるようでわかりません。これを理解するには、数とはなにかを押さえておく必要があると思われます。

1・2・3…は日常用いる数だから、わたしたちはこれを理解するのに苦しまないでしょう。りんごは1個、みかんは5個などと実際に数えることができます。こういう数は自然界にふつうに見られるので、自然数と言います。

では、自然数を組み合わせた3分の1とか、5分の2とかいった分数はわかりづらいでしょうか。そうでもないと思われます。1個のリンゴを四等分することは日常茶飯事です。では、無理数はどうか。ピタゴラスが毛嫌いした無理数は。

正方形の土地の対角線を数字で表そうとすると、どうしても$\sqrt{2}$といった無理数が出てきます。これは自然数ではないし、分数でもない。しかも、どこまでも割り切れない数であり、それゆえに「無理数」と呼ばれるのです。

しかし、どうしてこれを「無理数」と呼ぶのか？　これを理解するには、これを言い出した古代ギリシャ人の世界にもどる必要があります。古代ギリシャ人は均整のとれた世界を理想とし、それに反するものを排除しようとしたと言われます。美的理由からか、宗教上の理由からか、その両方からかも知れません。

たとえば、$\sqrt{2}$の値は1.41421356…とつづき、切りがありません。これはすっきりしない数なので、古代ギリシャ人は理に適わないと判断したのです。しかし、たとえば分数の3分の1は小数にすれば0.333333…と無限につづきます。それでも無理数とは言いません。こちらは3と1という自然数の組み合わせなので、有理数の中に入れたのです。

もっとも、これだけでは説明十分ではありません。そもそも、有理数と無理数の「理」とはなんなのでしょう。

理というものに語源からせまると、英語で有理数はrational numbersで、無理数はirrational numbersといいます。そこでいうrationalが「理」に相当するのです。このrationalはラテン語のratioから来ており、この言葉は「比」を表します。比といえば、たとえば3対5というふうに、ふたつの自然数で表せるものなのです。したがって、分数は自然数の比を表す数であるから「理」があるとなります。

しかし、ratioはラテン語であって、ギリシャ語ではないという疑問が生じます。ギリシャ語ではこの言葉をどう言ったのかを調べてみますと、ギリシャ語のlogosがラテン語のratioの原語だとわかります。では、logosにはどういう意味があるのかというと、論理とか理性とかの意味合いがあるだけでなく、「比」という意味合いもあるのです。となると、無理数の「理」は「比」ということになります。自然数の比を表す分数は有理数であり、「比」が成立しない数は無理数ということになるのです。

ところで、自然数の比ということで言えば、「ピタゴラスの定理」が思い出されます。直角三角形の水平線の長さが3で垂直線が4であるとき、斜線は5となるというあの定理です。これを一般化して言うと、直角三角形の底辺の長さの2乗と、それに垂直な辺の長さの2乗の和は、斜辺の長さの2乗であるというもので、これを数式で表すとすると、底辺の長さをa、それと垂直の辺の長さをb、斜辺の長さをcとすれば、$a^2+b^2=c^2$ということになります。

数学とはひたすら具体的な世界を逃れて、なるべく一般的にして抽象的な世界を構築しようする学問です。したがって、数学者はこの世界を数式化することを目指します。

しかし、数式を扱うだけなら、パソコンにその式をインプットして数をそこに入れれば数秒もかからないで答えが出ますから、数学を学ぶ必要はありません。では、私たちはなぜ数学を学ぶ必要があるのでしょうか。

数学者に言わせれば、数式とは文字で書くかわりに数学の記号を用いてつくる文章、考えの表現ということになります。一般人である私たちにとって、数式は計算を簡単にするのに役立つにせよ、これを思想の表現ということはできません。数式は音楽の楽譜と同じで、そこから思想を読みとらなくてはならないのです。

ところで、ピタゴラスの定理のピタゴラスは「万物は数である」と断言し、宇宙全体が数の法則に従っていると考えたといわれます。彼は自然数の調和的な比が宇宙の調和に合致すると信じただけでなく、宇宙を理解するには数学すなわち数の法則の理解が必要だと信じたのです。このような信念は、まずは西洋哲学の元祖というべきプラトンに受け継がれ、近代になってからも多くの自然科学者がこれを受け継いでいます。現代の物理学者ロジャー・ペンローズなどもそのひとりで、彼は以下のように言っています。

プラトン的世界が、それ自身で存在するとは思えないという人もいるだろうが、こういう人たちは、私たちの物質世界を単に理想化したものとして、数学的な概念をとらえているのかもしれない。この見方によれば、数学的世界は物質を対象とする世界から出現したことになる。
これは、私が考える数学像ではない。また大部分の数学者や数理物理学者も、数学的世界をそのようなものだとは考えていないだろう。彼らは数学的世界を、それとはかなり違ったふうにとらえており、時間を超越した数学的法則によってきっちり支配される構造と見ている。つまり数学者たちは、物質的世界の方が、数学的世界から出現したと考えたいのである。

（『心は量子で語れるか』三〇－三一ページ）

このペンローズ式の数学観の元祖がピタゴラスであることは見ての通りです。

ところが、このピタゴラス、無理数を認めなかったことでも知られています。無理数が彼の考える宇宙の数学的秩序を乱すものだったからです。

しかし、いくらそうであっても、無理数は先に見たように現実に存在するではありませんか。正方形の土地はどこにでもあり、その対角線を引くことは誰にでもでき、その長さを測ることもできるのですから、無理数はたとえ「理」にかなっていなくても、現実に存在するのです。

ピタゴラスの定理にしても、これをたとえば底辺が2で、それに直角な辺が3とすると、斜辺は$\sqrt{2^2+3^2}=\sqrt{13}$ということになり、これを少数で表すとおよそ3.60555127546…となります。これはどうしても無理数なのです。したがって、ピタゴラスの定理そのものが無理数を含み持つことになります。

私たちの常識からすれば、そもそも無理数を認めなかったピタゴラスの発想そのものがおかしい。私たちの心には理屈に合わない考えがいくらでも浮かびますし、私たちは理屈に合わない行動をいくらでもするではありませんか。人間には合理的な面と非合理的な面があり、その両方で成り立っていると見るほうがよいに決まっています。合理的な面のみを認めて非合理的な面を認めないというのは、どうみても「無理」なのです。

3　ゼロの概念

無理数は現実に存在する数です。では、負の数はどうでしょうか。負の数は長いあいだヨーロッパで受け入れられなかったといいます。理由は単純で、この数が実在するとは言えないからです。

私たちが何かを数える時、普通は何個あるとか、何人いるとか言いますが、マイナス何個とか、マイナス何人とか言いません。負の数はその意味で非現実なのです。

負の数の意味がわかるには、ゼロという概念を納得する必要があります。負の数はゼロより少ない数ですから、ゼロがあってはじめて正と負の数が存在することになるのです。

ところが、このゼロという概念が難しい。わかるようで、わからないのです。というのも、ゼロとは「何もないこと」を意味するからで、そもそも数はなにかが存在することを前提とするものだからです。ゼロは、その前提を打ち消してしまいます。

とはいえ、ゼロは現代世界ではごく当たり前に使われています。私たちはこの概念にすっかり馴染んでいます。「今日の交通事故はゼロ件」という言い方は、今日ではもはや普通の言い方です。気温にしても零度を基準とし、摂氏15度といえば零度より15度高く、零下3度といえば3度低いことだと誰でもわかるのです。

零下3度は零度より3度低い温度です。これを数字で表せば−3°、したがって負の数となります。数に正と負があるということがこうした具体例からよくわかります。

しかし、実用をとおして負の数やゼロの価値がわかっても、その概念的意味がわかるとはかぎりません。ある概念が計算の役に立つとしても、そこで満足するのではなく、その概念の意味を明らかにすることが大事です。では、ゼロという概念はなにを意味するのでしょうか。

ゼロの概念を発見したのはインド人と言われています。人類がこれを発見するまでに相当の年月を要したことから、なぜ発見が遅れたのかという疑問が生じます。その答えは、ゼロは何もないということだから、それを数として考慮することを誰も思いつかなかったのです。

ところが、インド人はある時その「何もないこと」を数として考慮した。そうすることで数の概念を広げたのです。私たちはゼロという概念に慣れ親しんでいるので不思議に思いませんが、この発見はたいへん意味深いことだと思われます。

古代ギリシャの数学はピタゴラスに発し、そこには数を神聖なものとする態度がありました。そこでは自然数と分数が数として認められましたが、ゼロという数があるなど考えもしなかったのです。そういう世界から見れば、ゼロの発見はとんでもないことになります。この概念の出現で、それまでの数の概念はすべて相対化されてしまうのです。

これを言い換えれば、ギリシャ時代の数の概念は「存在」に呼応してはいても、「非存在」には呼応していなかったということです。一方、インド人はゼロの発見によって、「非存在」に呼応する数を思いついたのです。これは大変なことではないでしょうか。

ゼロについては、これで計算がしやすくなった、10進法という便利な数のシステムができ上がり、複雑な計算が簡単になったとよく言われます。なるほど、10という数は10の桁が1で、1の桁が0ということになり、あらゆる数を0から9までの数字で表すことができるようになったのです。

しかしながら、ゼロの発見は、先にも述べたように数の概念に「非存在」という概念が介入したという哲学的な出来事です。これを忘れてはならないと思います。

といっても、この概念を東洋哲学の「無」と結びつけることには抵抗を感じます。人によっては大乗仏教でいう「空」と関係があるとまでいうのですが、そんなことをして何になるのでしょう。

数学概念を哲学することは大事なことですが、数学の外にある哲学概念と安易に結びつけることは不要であるばかりか、危険なものを感じます。問題の本質から離れてしまうように思えるのです。

ゼロを仏教と結びつけたがる人は、3という数を3＋0と考えるなら3は3でありながらその背後に0を蔵し、「実」の裏に「空」が付き添っているからこれは般若心経に出てくる「色即是空」に通じると言いたいようです。逆に0＋3が3となると見れば、これは「空即是色」に通じるというわけです。そう言われればそうかも知れませんが、数の概念を既知の哲学概念に置き換えることで何が得られるでしょう。自分の知らないことを、知っていることの範囲で処理したいということでしょうか。

数の概念としてのゼロは、『零の発見』の著者吉田洋一が言うように、数学的に考えるべきでしょう。これについての吉田の言葉を引きます。

（ゼロを仏教の「空」とむすびつける）こういう高遠な考えかたは、ただ興味だけを中心とした見地からは、捨てがたい味があるにしても、とうてい問題の本質に多くの光を投げえないのではないか、と思われるのである。それよりも、問題の本質はもっと技術的な方面から眺めて初めて明らかになってくるのではなかろうか。技術的というとき、一つには、さきほどのべた形式主義的数学思想をさすつもりである。

（『零の発見―数学の生い立ち』三四ページ、括弧内は引用者による）

吉田はゼロの問題には「技術的」に迫るべきだ、哲学的に迫る必要はないと念を押しています。ただし、誤解してはならないのは、彼のいう「技術的」の意味は私たちがいうテクニックの意味ではなく、もっと本質的なものだということです。

彼がこの本質を「形式主義的数学思想」と結びつけていることには、とくに注意したいと思います。この「形式主義」とは数式の美学のことであり、これが数学者にとっては本質だと彼は言っているのです。

ちなみに、吉田はこの「形式主義」について、ギリシャの幾何学的数学にはないものだと言っています。ということは、インドとアラビアを経由してヨーロッパに入って花ひらいた代数のことを、彼は「形式主義」と呼んでいるのです。ひるがえって見れば、前に言及した高木貞治の数の概念の説明にしても、門外漢が無味乾燥と感じるほどに「形式的」なのです。

数学とは中身がなくて形式だけなのか。これを聞いて「うんそうだ」とうなずく数学者がどれほどいるかわかりませんが、中には形式がすべてで、その形式がある種の美を生み出すのだと言い切る人もいるでしょう。映画『ビューティフル・マインド』の主人公の数学者にしても、小川洋子の小説『博士の愛した数式』の主人公の数学者にしても、そういう美を愛していたといえそうです。

吉田洋一の『零の発見』にもどると、彼が同書で「零の発見、単なる記号としてばかりでなく、数としての零の認識」と言っていることにも注意したいと思います（三〇ページ）。ゼロの発見とは今まで見向きもされなかった数の認識の問題であり、つまりは新たな数の概念の導入だったというのです。

このことは、吉田がゼロの概念を哲学的に意味づけようと躍起になる人には釘を刺している一方で、数について哲学すること自体を非難しているわけではないことを示しています。彼が厭うたのはゼロの概念を既存の哲学と結びつけて、それでわかったような気になってしまうことだったのです。

ところで、吉田はこのことには触れていませんが、ゼロの発見が複素数への道をひらくことにもなったことに注意したいと思います。というのも、ゼロという概念が「存在しない」ということに対応する数の概念であるために、「存在しないこと」を存在させるという逆説を演じてしまっているからです。複素数は実在しませんが、想像上は存在するといった、有であり無でもあるような数の概念です。すでにゼロの存在が確認されていなかったなら、この概念は生まれにくかったのではないでしょうか。

さて、ゼロが哲学を蔵した数の概念であったとしても、ひとたびそれが計算に便利な操作記号になってしまえば、誰もがその真義を理解せずにこれを用いることになるのは成り行きとして当然です。ここに、概念が記号となって流通し、概念が概念ではなくなってしまうという本稿の主題の一例が見つかります。

たとえば私たちは気温をいうのに、零下何度というふうにマイナスの温度を考えることができるようになりました。これはまことに便利ではあるのですが、そのとき私たちはもはやゼロの意味など考えません。便利さは、考えることを私たちから奪うのです。

4　複素数の概念

虚数は実数の反対概念で、現実に存在しないが想像界には存在するとされる数です。英語では「想像上の数」(imaginary numbers) と呼ばれ、そのような数は現実世界にはありません。ところが、現代の数学や科学の世界はこの虚数の存在なくして成り立たないのです。なんとも不思議な話です。

数の概念としては、虚数よりも複素数 (complex number) という概念が定着しています。これは自然数・整数・有理数・無理数・実数よりも広い概念で、先の高木貞治の著書が示すように、数学とはより広い概念にそれまで存在してきたさまざまな概念を収斂するように構築される世界なのです。言ってみれば、そこには一種のヒエラルキー、階層があるのです。

複素数とは実数と虚数の複合概念です。$a+bi$ という式で表され、a はなんらかの実数、b もなんらかの実数、i は虚数の単位を表します。i は imaginary の最初の文字のイタリック体で、a や b という実数を表す文字と区別するためにわざとイタリックになっているのです。複素数とは、したがってなんらかの実数となんらかの虚数の和であることを意味します。

複素数を最高次の数とすると、実数とは複素数の虚数の部分がゼロの場合ということになり、複素数の特殊なケースとなります。これを集合論的に言えば、実数は複素数の部分集合ということとなるのです。

言うまでありませんが、biとはbという実数を掛けたもので、虚数にも実数と同じように大小があることがわかります。虚数は実数に見合った数の世界なのであり、そこでは実数と同じように大小や順序、四則計算の規則があるのです。数の世界とは、そういうわけで複素数のような高次の数と自然数のような低次の数の階層のちがいはあっても、それぞれのレベルでの原理はすべて同じでなのです。

先に引いた『零の発見』の著者吉田洋一の「形式主義的数学思想」を、いま一度思い出してください。彼のいう「形式主義」とは、整数であれ、有理数であれ、無理数であれ、実数であれ、複素数であれ、すべて同じ形式で成り立っているということに表れています。それほどにこの世界は整然としているし、また整然としていなくてはならないのです。「数学とはつねに同じ形式で統一された構造体である」と言えるでしょう。

このような世界はたしかに美しいし、整っていて気持ちがいいにちがいありません。しかし、そこに人間味がないという感じはぬぐえません。ある種マニアックなところのある世界であり、これにハマればやめられない人もいるでしょうが、なんとなく敬遠したがる人がいてもおかしくありません。

しかし、混沌とした世界を抜け出て整然とした理想世界を見つけ出す喜びというものは、アルプスの頂上にたどり着いた登山家の喜びに似て、至上の幸福感を与えるのかもしれません。数学とは崇高な世界であると主張する人がいて、少しもおかしくありません。

さて、虚数単位の i ですが、これは二乗するとマイナス1になる数をいいます。実数であれば、二乗すると必ずプラスの数あるいはゼロになるはずであって、マイナスになることはあり得ません。しかし、そのあり得ないことが数学上起こるのだから、これを「虚数」と呼ぶのです。

ところで、以前に、数の概念というものは人間の想像力によるものだと言いました。なのに、虚数の概念だけが想像上の概念として定義されているのはある意味不思議です。

このことが何を意味するのかといえば、数学は虚数という概念を打ち出すことで想像上の数にも存在を与えたということを意味すると思われます。すなわち、現実を超える想像の世界にも実在を認めた、ということなのです。

以前に、ゼロの発見は「なにもないこと」に存在を認めたことを意味すると述べました。それと同じことを、数学者は想像上の数についても行ったのです。

さて、ここで付け加えなくてはならないのは、虚数が誕生したのは計算上の必要からそういう数を想定せざるを得なかったから、という事実です。示野信一の『複素数とはなにか』によれば、十六世紀イタリアの数学者カルダーノが、二つの数の和が10、積が40となるような二数を求めようとし、そこで虚数を考えないとこの問いの答えは出てこないことに気づいたのです。そのあとボンベリがこれを補強し、虚数が数学的に意味を持つことをよりはっきりと示したといわれます。

これを説明するにあたって、示野はカルダーノとボンベリの計算式を省かず引用しています。

こうした引用があることで、読む者は虚数というものがどのようにして出てきたのか、手にとるようにわかります。良心的な説明の仕方と言うべきでしょう。

カルダーノが考えついた答えは、aが$5+\sqrt{-15}$、bが$5-\sqrt{-15}$というものでした。常識ではあり得ない負の数の平方根を含んでいるため、彼自身も困惑したと思われます。しかし、それ以外に正しい答えの可能性はなかったのですから、これを受け入れざるを得なかったのです。

とはいえ、これはやはり発見だったと思います。なんとなれば、ゼロの発見と同じで、どのような偶然から生まれた苦し紛れの概念であっても、そこに想像力がはたらかなければ生まれ出はしなかったからです。

思うに、人類は困窮した状況を打破しようとして想像力をはたらかせ、そこから新たな概念的地平をひらいてきたのではないでしょうか。虚数の発見は、その最たるもののように思われます。

ところで、ゼロの概念を「無」や「空」といった思想概念と結びつけて解釈する人がいるように、虚数についてもそこに精神的な意味を見出そうとする人がいます。たとえば、半田広宣がその一人で、彼は「複素空間」を「魂の構造」と結びつけています（『物質の究極と人間の意識』一六ページ）。

ちなみに、「複素空間」とは、ガウスが複素数を座標化した複素平面をもとにリーマンが三次元化したものです。こうした数学の天才たちは抽象的な数の世界を図形化することの達人だったのであり、私たちが虚数の世界をイメージとして受けとめることを可能にしてくれているのです。

リーマンにすれば、実数の座標が三次元空間として実現する以上、複素数についてもそれが可能なはずだと思ったのでしょう。

複素空間を魂と結びつける半田にすれば、複素数そのものがすでに「魂を伴った身体」です。実数が身体であるとすれば、虚数は魂だと見ているのです。このような神秘主義的ともいえる結びつけ方は、前者が後者のメタファーだとすれば理解できないわけではありません。

しかし、半田の場合はこれをメタファーとして理解しているようには見えません。その結果、数学的発想を宗教的独断に置き換えてしまったという印象を与えます。

半田がこのように神秘主義的な複素数解釈をする根拠は、ないわけではありません。彼にすれば、複素数は量子力学で利用されているものであり、量子という物理学的概念にしてからがすでに霊的なものと見ることができるからです。量子はその存在が現実を超えたもので、私たちの意識の中にしか現れない。だから、それは精神内の存在、つまり霊的なものという理屈です。

しかし、このように量子→意識→精神→霊魂という結びつけ方をするのは、一部の人には魅力的かもしれませんが、十分な説得力を得られないのではないかと思われます。「意識」というものは全人類がこれを受け入れることのできる概念ですが、「霊魂」となると半信半疑の人も多いからです。そもそも、身体と霊魂という分け方がどれほどの価値を持つのか、そこも考えたいところです。

半田が上記のような発想を持つようになったのは、その前提に物心二元論があるからです。この物心二元論という発想そのものが正しいということを、彼は検証していません。そうなると、彼の考えは宗教というべきものであって、哲学ですらありません。彼の発想には価値がないわけではありませんが、いまひとつ納得できないものが残ります。

半田が複素空間を魂の構造と読み替えた背景には、もしかすると一七世紀の数学者ライプニッツの次の言葉があるのかも知れません。ニュートンとともに微積分を発明したと言われるこのドイツ人は、虚数について以下のように言っているのです。

虚数とは神霊が宿る驚嘆すべき住処であり、存在と無の両面を備えている。

（『複素数とはなにか』四四ページ）

この言葉だけをみれば、半田の虚数＝霊魂説が正しいようにも見えてしまいます。しかし、ライプニッツが数学的根拠なくこのような結論に達したはずがありません。彼には彼なりのきちんとした根拠があって、そう言ったはずなのです。

したがって、彼の結論だけを援用し、それを量子力学と結びつけて形而上学を築き上げるのは乱暴です。数学や科学の概念にはときとして精神的な意味合いが含まれているように見えることもありますが、だからといって、性急にこれを精神論に引きつけてはならないと思われます。

5　複素数の運命

すでに引用したように、ライプニッツは「虚数」は「神霊」の素晴らしい「住処」であり、「存在と無の両面を備え」ていると言いました。あたかも、数学とは神の叡智の表れであるかのような言い方です。このようなライプニッツの数学観は、ライプニッツの専門家の池田真治が示したように、人間の想像力を重視する一面を持っています（「想像と秩序―ライプニッツの想像力の理論に向けての試論―」）。同時代の数学界の中心であったデカルトとは隔たりがあったのです。

このデカルトとの距離を明確にし、近代科学がデカルト路線を歩むかわりにむしろライプニッツの路線をたどっていればよかったのにという思いを表明したのは、科学史家のミッシェル・セールです。セールの『ライプニッツのシステム』（*Le Système de Leibniz et ses modèles mathématiques* 1968）にしろ、『ヘルメス』（*Hermes I, La Communication*, 1969）にしろ、さまざまな形でそのことを訴えています。

セールの主張は、近代科学がデカルト路線を歩んだことによって誤った方向に走ったというものので、そのことを早々と主張していたシモーヌ・ヴェイユの思想を受け継いだものといえます（拙著『科学と詩の架橋』第一章参照）。セール自身、ヴェイユから多大な影響を受けたことを次のように述べているのです。

十七か十八歳であった私は、シモーヌ・ヴェイユの『重力と恩寵』をおそらく四〇回も読んだのです。私にこれほど深く影響を与えた著者はありません。今思えば、私は彼女の暴力に対する怒りというか恐れというか、それに感動したのです。初めてあの本に巡り合ったのは、広島の原爆の数年後でした。どうして、科学が、物理学が、あのような極度の暴力を引き起こせたのでしょうか?私はシモーヌ・ヴェイユによって、この問いの答えを得たのです。

(「ミッシェル・セイルとシモーヌ・ヴェイユ」二〇一九)

以上のようにヴェイユから出発したセールですが、ヴェイユの正面切った近代科学批判、とくにデカルト批判まで彼が読んでいたとは思えません。『重力と恩寵』にはこれといった科学批判は現れず、その冒頭部分で「お金、代数、機械主義」が現代文明の三悪として糾弾されているだけだからです。

それでも、この書を何十回も読んだというセールにすれば、そこからヴェイユの近代科学についての根本批判を導き出すことは難しくなかったかもしれません。ヴェイユの科学観が"*Sur la science*"という一冊の本となって出たのは一九六六年のこと。セールがヴェイユを読んだ一九四〇年代後半よりずっと後のことです。

セールを離れてデカルトとライプニッツを比較するならば、虚数についての二人の立場のちがいが目につきます。デカルトはカルダーノが発見した虚数をまさに「虚数」と見なし、これを実在しないものとしたのですが、一方のライプニッツは、先にも見たようにこの数を「存在と非存在の両面」を持つものとし、そこに「神霊」のあらわれを見たのです。つまり、デカルトが否定的にしか扱わなかったこの数を、ライプニッツは肯定的に見た。どころか、そこに神妙なものまで認めたのです。

この二人のちがいは数学についての立場のちがいを示すもので、そのちがいはライプニッツのデカルト派数学への批判に現れています。先出の池田真治によれば、デカルト派にとって「存在と非存在」の両面が同じひとつのなかにあるのは矛盾以外のものではないのに、同じデカルト派はゼロについてはそれが「存在と非存在」の二重性を持つことを矛盾としていない。ライプニッツにすれば、ゼロの存在を疑問視せずに虚数を疑問視することこそ、矛盾だったのです。

このライプニッツの立場は、先にも挙げたシモーヌ・ヴェイユの立場を思い出させるものです。ヴェイユは近代科学の基本的な欠陥として、相反する二つの共存を許さず、これを「矛盾」として排除しようとしていることを挙げており、そうした近代科学の態度を「不敬」とまで言っているのです（*Sur la science* 一四一ページ）。

さて、デカルトによって否定された虚数ですが、近代数学では複素数という概念のなかにそれが保存され、それがガウスによって平面化され、やがてはリーマンによって空間化されました。この進展は、この概念がまだ計算上の操作記号にはなっていなかったことを示すだけでなく、この概念が数学的想像力によって発展したことを示しているといえるのです。

ところが、ある時期からその想像力が失われ、複素数が計算上の操作記号に転化するという事態が起こります。その転化を促進したのが、複素数の意味合いも問わずにこれを計算に利用した電気工学および電子工学、そして量子力学です。

坂井秀隆によれば、電気や熱あるいは流体力学など時間の経過とともに変動する領域を数式化するのに、複素数を含む方程式（正確には微分方程式）が非常に便利だったのでこれを利用したのだそうです（「複素数講義3」二〇一八）。ラプラス変換によってその式に含まれる複素関数を複素平面に写像することができるのであれば、これによって時間の経過による変動を考慮せずに計算できることになるというのです。ひとたび工学や力学に応用できる道がひらかれると、複素数あるいは虚数というものの概念の価値はいきおい無視されていきます。虚数、否、複素数は、かくして単なる計算の道具となってしまったのです。

量子力学の数学的基礎を打ち立てたといわれるシュレディンガーは、量子の状態を記述する新たな微分方程式を開発したといわれ、そこではラプラスが捨象した時間の経過が復権され、あまりにも抽象化されていた物理学の世界が現実性を回復したといわれています。

しかし、そういう彼とても、複素数あるいは虚数が物理学にとって有用であるということ以上の意味をそこに見出しているようには見えません。

一八世紀から一九世紀にかけて、否、とくに一七世紀のライプニッツのように虚数の実在ということについて哲学的に考えるということは、二〇世紀の科学ではすでになくなっており、ルネサンス期に生まれた虚数の概念はその命を失って、単なる数式上の記号と化してしまったのです。もちろん、この概念の退化は物理学者だけのせいではなく、ほかならぬ数学者たちにも責任があったといえるでしょう。日本の数学者で複素関数の専門家である岡潔は、フランス語で書いたその論文の冒頭で以下のように言っています。

私がこの論文を書き終えて感じていることを説明するために遠い昔から日本民族に固有の感情である季節感に訴えたいと思う。今日の数学の進展には抽象に向かう傾向が見られる。われわれの研究分野においてさえも諸定理はますます一般的になり、それらのうちのいくつかは複素変数の空間から離れてしまった。私はこれを冬だと感じた。私は長い間、もう一度春がめぐってくるのを待ち続けた。そうして春の気配を感じさせてくれる研究をしたいと思った。この論文は一番初めに摘まれた果実である。

（『岡潔　数学の詩人』一〇二ページ）

このように吐露する岡は、「複素空間」というリーマンの想像力の賜物が、自分と同時代の数学者たちによって置き去りにされ、機械的な操作が数学に介入していることを痛感していたのです。

ちなみに、彼がいう「抽象的」とは現実から乖離しているという意味で、数学者にとっての現実とは想像力による生き生きした世界とみてよいでしょう。その想像力が失われた以上、数学は枯渇せざるを得ないと岡は言いたかったのです。

6 イデオロギーの脅威

これまで数学におけるゼロと虚数の概念の運命を見てきました。これらの概念が、初めはみずみずしい想像力の産物であったのに、いつしか便利な計算上の記号に成り果てたことを示したつもりです。前にも述べたように、ゼロや虚数のような想像力の産物が計算上の窮余の一策として生まれたことは確かです。しかし、これらの概念が生まれるには、たいへんな想像力を必要としたことも確かなのです。

考えてもみれば、わたしたちは現実というものを想像力の助けを借りて構築しているのではありませんか。目や耳で感覚するものを感覚データと呼ぶならば、このデータを組み合わせるときにすでに想像力がはたらき、その結果として私たちが「現実」と呼ぶものが出来上がるのです。ところが、そうして出来上がった現実は、日常の中で習慣と化し、固定化され、新鮮さを失います。それを構成していた生き生きとした概念世界が、いつしか固定された生命のない固まりとなるのです。

どうしてそうなるのかと言えば、端的に言って言語化のせいです。言語はコミュニケーションの道具として機能しようとするために、語句の意味を固定化し、きっちりした形に自らを整えます。しかしそうなると、もともと命あった概念も、固定された「物」になってしまうのです。概念が物となってしまえば、私たちから離れ、疎遠になるばかりか私たちの精神を知らずに圧迫することになります。そうなれば、私たちの個々の思考は流れを失い、自由を失ってしまうのです。

さて、物と化した概念の組み合わせで、思想が、生きた思想が、生まれるでしょうか。生まれるはずがありません。そこに生まれるのは物となった思想、すなわちイデオロギーばかりです。宗教が教条化すればイデオロギーとなるように、反宗教の思想も物と化せばイデオロギーとなります。イデオロギーは思想ではなく、似非思想です。

ところが、イデオロギーは物品であるだけに流通しやすい。ひとたびこれが宣伝の力で蔓延すると、人々の思考を麻痺させ、精神をも支配します。マルクスは「宗教は阿片だ」と言いましたが、イデオロギーこそは現代の阿片でしょう。今日世界中で起こっているのは思想の戦いではなく、イデオロギーの戦いであり、その背後には利害心という人類の最古代からの遺産がうごめいているのです。

たとえば、「あの人は共産主義者だから危険だ」といった言説は反共イデオロギーに汚染された言説です。「あの人って、横顔がきれいだね」というのとはまったく異なります。「あの人って、トランプ派なんですって」も同じくイデオロギーです。ひとりひとりの個性を無視して政治的な色分けしかしないのは思考停止の兆候ですが、それは人々の精神がイデオロギーによって汚染されているからなのです。

かつて、工場労働を体験したことのある哲学者シモーヌ・ヴェイユは、「革命こそ阿片だ」と言いました。彼女は「革命」と名のつくイデオロギーが機械労働によって疎外された労働者たちの精神を蝕んでいるのを見たのです（『科学と詩の架橋』第一章参照）。

しかし、そういう警告もイデオロギーの力には勝てないようで、現代世界はグローバル化のイデオロギーと、それに叛逆するテロリストのイデオロギー、性的差別者のイデオロギーとそれに反抗するイデオロギーというふうに、イデオロギーの抗争に覆われています。そういう時代なので、本当の意味での思想は居場所がなくなり、精神は枯渇しつつあるのです。

イデオロギーの威力がここまで大きくなったのは、メディアのせいでしょう。メディアはイデオロギーをあたかもそれが人類の理想であるかのように喧伝する力があり、よほど覚醒した頭脳でなければ、これに抵抗できないのです。

このような危険はすでに二〇世紀の前半にその姿を表しています。それに早々と気づいた日本人は文芸評論家の小林秀雄で、昭和十四年に書かれた「イデオロギイの問題」という文章で、彼は次のように言っているのです。

ノルデンスキョルドといふ学者の調査によると、パナマ奥地のキュナ族といふ土人は、鰐の首の動き方について、十四通りの動詞を持つてゐるさうである。かういふ実際の観察に即した言葉を、イデオロギイの堆積の重みで、人間は次第に忘れて行く。立派な思想家や芸術家や科学者だけが、さういふ土人の眼を、眼から直かに生まれた様な言葉を保持して行くのだらうと思はれる。

人間精神の表現は、これを完了した形として眺める限り、悉くイデオロギイならざるものはない。(…)

イデオロギイと思想とを取違へ、性根を失つて了ふ事、これは目下猖獗を極めてゐる現代病である。

(「イデオロギイの問題」九八ページ)

昭和十四年といえば西暦一九三九年、今から八五年前のことです。この時と今と比べると状況が少しも変わっていないことがわかります。唖然とせざるを得ません。

小林はイデオロギーが私たちの精神にとって外物であり、そこにはなんらの創造性もないこと、しかもそれが猛威をふるって人々の精神を冒していることを告発しています。南米奥地の「未開人」の言語が感覚に即したもので、それゆえにイデオロギーに汚染されていないと指摘し、そのような感覚に即した言語が詩文や芸術や科学までも生み出すのだというのです。

この彼の言葉は、彼と同年代の人類学者レヴィ=ストロースの「野生の思考」を先取りしたものと言えるでしょう。そのレヴィ＝ストロースは、イデオロギーに汚染されていない人間の思想を「未開人」の具象的＝感覚的思考に見つけたのです（「野生の思考の弁明　小林秀雄の場合」参照）。

7　ランボー

小林秀雄が昭和初期に力強いイデオロギー批判をなし得たのは、彼がイデオロギーにとらわれない、あるいはとらわれないよう努力する天才たちを師匠として持っていたからです。具体的に言えば、ランボーと志賀直哉。この二人が彼の師匠でした。

そのことは、小林の初期の評論である「人生斫断家アルチュル・ランボオ」（一九二六）と「志賀直哉」（一九二九）を見ればわかります。ここではこの二人のうちランボーに目を向け、この詩人がイデオロギー的な言語と戦ったさまを見てみたいと思います。志賀については、本書第四章で扱います。

ランボーの言語的奮闘を理解するには、彼の生まれ育ったフランス近代の言語状況と、それに付随する詩の発展とを見ておく必要があるでしょう。大雑把に示すと、以下のようになります。

出発点はデカルトの『方法序説』（*Discours de la méthode* 1637）とパスカルの『パンセ』（*Pensées* 1670）です。デカルトとパスカルは、当時の知識人の習慣に逆らってラテン語ではなく明快なフランス語で書きました。近代フランス語はそこから出発したと見てもよいくらいです。
もっと古い時代のモンテーニュの『随想録』(*Essais* 1580)は?と疑問符を投げかけることもできますが、モンテーニュのフランス語にはルネサンス期の雑多さがあり、フランス語特有のすっきりした合理性や洗練を見つけることはできません。デカルトとパスカルの透明なフランス語が十八世紀の啓蒙思想家たちに流れ込み、そこで近代フランス語が生まれたと言ってよいかと思います。

啓蒙思想家たちは、誰にでも理解できるフランス語を用いてさまざまな思想を表現し、それが社会に浸透しました。これによって、フランス語は理性の言語として確立され、論理的で明快さを特徴とするものとなり、ある種の普遍性を獲得したのです。十八世紀から十九世紀にかけてフランス語が西ヨーロッパからロシアに至るまでの広大な地域の知識人の共通言語となったことが、それを示しています。

啓蒙の言語であったフランス語に新たな変革をもたらしたのは、ルソーが先陣を切った反合理主義の運動です。それはロマン主義と呼ばれ、一八世紀末から十九世紀前半にかけてヨーロッパ全域に広がりました。この運動は理性の言語に替わる感情の言語を称揚し、一世を風靡しました。しかしそれもつかの間、科学と実証の言語に押しつぶされてしまいます。十九世紀の後半には現実を正確に記述する言語が勢いをもち、それがリアリズム文学の原動力となったのです。

このような状況下で、言語に詩的生命を回復しようとしたのが象徴主義です。中心人物はボードレールやヴェルレーヌであり、これから考究するランボーは彼らのあとを追って言語革命に身を捧げたので、ポスト＝象徴主義に属するといわれています。

象徴主義は観念とイメージの中間にあるものを象徴ととらえ、そこに具体性と抽象性の融合を見ようとしたものです。この考え方を代表するのがボードレールの「照応」（Correspondances）という詩です。

自然はひとつの寺院です
その柱という柱は生きていて
訳のわからぬ言葉を時として聞かせてくれます
誰かが象徴の森をくぐりぬけてそこを通り過ぎるとき
それらの柱はその人を親しげに見つづけるのです

（『悪の華』三七ページ、引用は拙訳）

この詩の主眼は人が自然に至るには自然の声を聞くことが大切であり、その声を理解するには「象徴の森」をくぐり抜けなくてはならないということです。そのようにすれば、自然の方もこちらを親しげに眺めてくれると言っているのです。

自然と人間の相互関係については、すでにロマン主義の中にその萌芽が見えていました。しかし、それを可能にするものとして「象徴」という語を見つけたのは、ロマン主義の後裔である象徴主義者たちだったのです。

もっとも、ボードレールのいう象徴は観念の世界にありつづけ、自然との出会いを直接経験したことで生まれたわけではないことを断っておかねばなりません。彼自身、観念的言語の側にいたのです。この状況を打ち破ったのがランボーで、この少年詩人はそれまでの自然と言語の関係を逆転させ、言語の外へ、あるいは言語以前へと迫っていったのです。

ベルギーの文藝批評家プーレがいみじくも指摘したように、ボードレールとランボーのあいだには乗り越えられないほどの亀裂があります。プーレはその亀裂を「詩の炸裂」と呼んでいますが（『詩の炸裂』一九八〇）、同じ詩でありながら、ランボーにはそれまでの詩的言語への決別があるのです。

ランボーは抽象的な観念と具体的な事物の中間にあったはずの「象徴」というものをかなぐり捨てたとも言えるでしょう。そうすることで知覚そのものへと接近し、それに見合った言葉を必死に探したのです。

こういうランボーを、文学史家のマルセル・レイモンは二〇世紀初頭に起こった超現実主義の先駆と見ていますが、超現実主義の中心人物となったブルトンの詩的言語を見ると、どこにもランボーの影は見られません。ブルトンの言語にはランボーが必死になって回避した重度の概念性があり、彼が回復しようとした生きた言語、感覚に即した言語は少しも残っていないのです。

なんといっても、ランボーは空前絶後の詩人でした。西欧言語における奇跡といってよいかもしれません。彼の空前絶後の言語的試みを、いま少しなぞってみたいと思います。

ボードレールの詩集『悪の華』(*Les Fleurs du Mal* 1857)は、そのタイトルからしてすでに挑発的です。何に対する挑発かといえば、まずは社会道徳に対してであり、その背後にあるカトリック教会の権威に対してであったといえるでしょう。そういう彼の主張は、この刺激的なタイトルの詩集の「読者へ」(Au lecteur)という序に顕著です。以下、その最初の二節だけ引用します。

愚かさ、過ち、罪、貪欲
僕らの心に棲みついているこいつら
僕らの身まで好きなように動かす
そんなわけだから
僕らは後悔し、それがなんとも気持いい
乞食が腹にうじ虫を育ててるようなもの

ああ、僕らの罪はほんとにしつこい
僕らの後悔も、それに似て意気地がない
懺悔すればたっぷり儲かる計算で

どろんこ路を笑って帰る
情けなく涙を流せば、すっかり穢れが洗われるというわけさ

（『悪の華』三一ページ　引用は拙訳）

一見すると、ここでボードレールは「罪」と「懺悔」というカトリック的教説に抗議しているかに見えます。しかし、その裏に忍び込む快感を楽しんでいるようにも見えます。カトリック的なサド＝マゾをある種の憎しみをもって暴露していることも事実ですので、つまるところ、既存宗教とその道徳に対して曖昧な立場をとっているといえるでしょう。

言い換えれば、彼の言説は悪意に満ちた背教者の呪詛にも聞こえるし、それを天使の声として聞かせるものでもあるということです。おそらくこの両義性が彼の詩の魅力の源泉となっているのです。

引用は省きますが、上の引用につづく節には「サタン」「悪魔」「地獄」といった倒錯美学の名辞が並びます。それに並行して、「金属」「化学」「蒸発」といった科学の時代の到来を感じさせる語もちらつきます。そうした中から前世紀の合理主義によって押しつぶされた信仰の歪みといったものが、新しい時代の息吹とともに浮かび上がってくる。ボードレール詩は、確かに宗教が滅び科学がそれにとって替わる時代の象徴です。

もうひとつ確かなのは、そこでは「愛」という言葉が禁句となっていることです。作者ボード

レールはこの言葉を最も憎んだにちがいありません。彼が愛好した言葉は「悪」であり、「憎しみ」でした。「愛」の裏返しということでしょうか。

序の後半には「淫売」とか「寄生虫」とかが「殉教」と「死」に結びついて登場します。なんとも暗い光景の現出ですが、不思議なことにそれを語るボードレールの言葉は活力にあふれ、至上の快感で高揚しているかに見えます。一種怪物的な力で既存道徳を罵倒している、といえるでしょう。

そうした罵倒は、裏返せば時代社会の道徳が強力だったことを示しているともいえます。同時代の小説家フロベールが『ボヴァリー夫人』を書いたことで風俗紊乱の罪で訴えられたことに彼は激しく抗議していますが、当時の社会道徳は教会という権力と不可分に結びついて人々の心を圧迫していたのです。信仰は滅びても、社会道徳と化した「偽善的」教条はびこりつづける。彼の告発はその「偽善」に向けられたものであり、ニーチェの先駆となる新＝道徳思想が掲げられていると言っても間違いにはならないでしょう。

『悪の華』の序の最後には、どんな猛獣よりも、どんな怪獣よりももっと恐ろしく、もっと醜く、もっと悪質なものがあり、それは目立たず、音も立てない魔物であって、その名を「退屈」というのだという言葉が見つかります。

読者の皆さん、あなたも偽善者ですよね。退屈って魔物は、とてもとても繊細なんだ。何を隠

そう、そういう僕にしてもあなたと同じ、偽善者なんです。（同上書三二ページ　引用は拙訳）

この自虐的で、容赦のない書きぶり。既存道徳の非を責める一方で、そこから甘い汁を吸う自身をも責めるというよじれ。結局のところ、カトリック教の呪縛から逃れきれなかったことを告白しているようなものです。

こういうボードレールをイデオロギーの観点から言えば、彼は宗教性と背教性の、前近代と近代の、相反するイデオロギーの抗争に疲れ果てた人間と見ることができます。「退屈」を決め込んで、それを慰めるのに自虐的な快楽しか持ち得ない人間の惨めさが伝わってくるのです。こういう人間はいかなるイデオロギーも信じることができませんが、かといって、その大もとにある新鮮な概念にまで立ち戻る勇気はありません。古びた概念的言語をぶち破ってまで新鮮な概念の泉に到達する飛翔力が、彼には残っていないのです。

一方、ボードレールとちがって、ランボーには概念の根源に到達できるだけの飛翔力が残っていました。というより、それだけは守ろうという強い意志がありました。無論、それとて無傷で得られるものではなかったのですが、ランボーには計算に長けたボードレールが持ち得ない無鉄砲さがあったのです。

あの無鉄砲さがなかったなら、彼は誰も見ることのかなわなかった地平を垣間見ることなどできなかったでしょう。まことに、ランボーは英雄の名にふさわしい詩人です。

ランボーの詩論は彼が友人に宛てた書簡に見つかります。たとえばデムニー宛の手紙には、次のような言葉が見つかるのです。

ロマン主義が示したことは、どんなに歌っても、それが作品になることは滅多にないということです。作品とは、ある考えを理解した上でそれを歌い上げることなんです。だって、私っていうのは、自分とは別の人でしょう。銅がラッパになるからって、銅のせいではありません。僕にはこれは明らかです。僕はある考えが胎盤から出るのに立ち会って、その考えをじっくり見聞きするだけなのです。

（一八七一年五月十五日『ランボー文芸書簡集』四三ページ　引用は拙訳）

ここで彼が問題にしているのはロマン主義。ロマン主義は歌いはしたが、その歌は「作品」になっていないというのです。なぜなら、ロマン主義の歌には「考え」というものがなく、あったにしても歌い手にその考えがわかっていなかった。歌が「作品」になるには、「考え」とそれについての理解が必要だというのです。

ちなみに、彼がいう「考え」（pensée）とは本稿でいう「概念」のことで、それは上記の引用の「ある考えが胎盤から出る」という表現からわかります。以前にも述べたように、「概念」（concept）とは「妊娠する」につながる言葉なのです。

上の引用に見られるランボーのロマン主義観が正しいかどうかは別として、彼にとって詩作がどういうものであったかはわかります。ランボーにおける詩作とは、概念の誕生に「立ち会う」ことだったのです。

「立ち会う」とは、ある概念が自然に詩となっていくさまを見とどけるということです。詩とは人が生み出すものではなく、人の精神に生まれ出てくるものであり、そこでいう「考え」はどこかから湧き出てくるものなのです。引用中の「私っていうのは、自分とは別の人」とはそういう意味です。

ところで、この「私っていうのは、自分とは別の人」(Je est un autre) という言葉は有名になり過ぎた感があります。彼のもう一つの言葉、「人は『私は考える』っていうけど、考えるのは『私』ではなくて、誰か別の人が『私』のなかで考えるんだ」という言葉も有名で、これをデカルトの「我思う故に我あり」とからませて哲学的に解釈する人もいます。そういう解釈も不可能ではないでしょうが、ランボーなら、自分の実感を率直に語っただけだと言うでしょう。仮に彼がデカルトというフランス近代の祖を意識していたとしても、だからといって、彼を哲学者に見立てる必要はありません。

というのも、先の引用につづく一節において、ランボーは制作主体としての「私」という考え方を否定しているからです。彼のいう「私」はあくまで詩の制作主体のことなのです。詩を作るのは「私」ではない、別の誰かだと言いたかったのです。

似たような主張は、のちの時代の小説家プルーストの『サント＝ブーヴに抗して』（*Contre Sainte-Beuve* 1954）にも見られます。プルーストは制作主体としての「私」は生活者としての「私」とは別次元のものであり、この二つを同じものとみなすサント＝ブーヴは間違っていると批判したのです。彼の言葉を引きますと、「一冊の本は、わたしたちが日頃社会の中で見せている、さまざまな悪癖を持った私とは別の私によって作られるものだ」となります（『サント＝ブーヴに抗して』一五七ページ）。

とはいえ、ランボーにとっての詩とは「宇宙に遍在する知性」（l'intelligence universelle）が撒き散らした考えの一部を人間がかき集めたものにほかならなかった。したがって、プルーストの見方とまったく同じだったというわけではありません。

ところで、ランボーの詩作が概念の誕生を黙って見とどけることに尽きるとすれば、しかもその概念が彼のいう「宇宙に遍在する知性」の撒き散らすものだとすれば、それを受けとめる受け皿がなくてはならないでしょう。ランボーによれば、その受け皿こそが詩人なのです。詩人とは宇宙に遍在する知性が送信する概念の受信器、ということになります。

このような詩人が、すでに出来上がって巷に流行する概念などまったく眼中になく、これから生まれ出る概念にしか眼を向けなかったとして何の不思議もありません。まして既成概念が凝固したイデオロギーなど、目もくれなかったはずです。

ボードレールとのちがいをもう一度確認します。ボードレールはイデオロギーを無視できず、かといってそれを信じられず、精神を疲弊させていました。一方のランボーは、いかなる既存の概念にも目をくれず、ひたすら生まれ出る新たな概念の誕生に立ち会うことだけを考えたのです。

いうまでもなく、ランボーのような詩人になることは容易ではありません。ボードレールは時代の空気を吸っていた詩人です。彼のような詩人になることは、その意味で不可能ではありません。しかし、既存の概念をまったく眼中に置かないランボーになることは、常人には不可能なことのように思われます。

これについてはランボー自身、同じデムニー宛書簡で次のように言っています。

詩人は透視者とならねばなりません。透視能力を持たなくてはならないのです。そうなるには、さまざまな感覚の秩序を崩す膨大な努力を、長い時間をかけて、慎重に遂行しなければならないのです。

(『ランボー文芸書簡集』四五ページ　引用は拙訳)

「さまざまな感覚の秩序を崩す膨大な努力」、これがランボーの考えた詩人となる条件です。ほんとうに、とんでもないことを自身に課したものです。

「感覚の秩序」とは既成概念によって感覚世界の中に構築されたものであり、それを崩さなければ既成概念から自由になれず、したがって概念誕生に立ち会えないと彼は言います。しかし、この無秩序への意識的努力は、下手をすれば狂気を招来するでしょう。その危険を予知しておればこそ、彼は「長い時間をかけて、慎重にしなければならない」と言っているのです。

以上、ボードレールとランボーを比較してみましたが、そこから分かったのは前者が既成概念の重みに耐えかねたのに対し、後者が果敢にこれを跳ねのけ、新しい概念が詩になっていくさまを見とどけ得たということです。読者にすれば、前者の倦怠感に共感はできても、そこから一歩も前進できない重い感じを受けるでしょう。他方、後者からはその道程がきわめて困難であるにしても、そこから勇気を得ることができるにちがいありません。


本章では数の概念の歴史、概念の堕落形態としてのイデオロギーの問題を見、その後でランボーという詩人における概念誕生の記述の努力を顧みました。最初にも述べたように、概念は言語化されて一般に流布されるにつれてその概念性を失い、操作に容易な記号と化し、それが集積してイデオロギーとなり、思考の停止を招くのです。

このことから言えるのは、詩とイデオロギーは対極にあるということです。したがって、現代のようなイデオロギー過多の時代においては、詩の復活以外に人類が救われる道はないことになります。

第二章　生命ある記号

1　はじめに記号ありき

前章で述べたように、概念とは人間の心に浮かぶ考えのことであり、それは想像力によって生まれるものです。しかし、それが言語化されてちまたに流布すると、その生命は失われ、ついには意味をも失って操作に便利な記号と化してしまいます。そのような記号は概念言語の堕落した形態であり、私たちの新鮮な思考にとって害になることは言うまでもありません。

これから扱う記号は、そうした概念言語の堕落形態ではなく、もっと根源的な、言語以前から存在するものです。それは固定された意味を持つ以前のものであり、生命に満ちているのです。しかも、まさに記号であることによって、他者との共有も可能なのです。

「初めに記号ありき。」これが本章の立場です。人だけでなく、すべての生き物が記号をもっており、記号によって生きている。人間社会においては、それが言語に媒介されて最終的には命のないものに成り果ててしまうかもしれませんが、そのような死んだ記号は、これから扱う生まれたての記号とはちがいます。この二つは区別されなくてはなりません。

本章はベルクソン（Henri Bergson 1859–1941）から始めます。この哲学者は自分のつかう言語が死んだ記号の羅列にならないよう特別に気をつけた人で、彼の文章は生命に満ちた記号の集合です。ただし、彼自身は記号よりも個人の記憶と個人の意識に到来するイメージとを重んじ、それは記号とは異次元のものだと信じたようです。果たして、彼は正しかったでしょうか。

たとえば、私たちがリンゴを思い浮かべるとき、そのイメージは私たちが個々に見たことがあるもので、それは私たちの個人生活と結びついています。したがって、他人とただちに共有できない特別な意味を持っています。ベルクソンが強調したかったのはそこで、彼にとってこの共有できないイメージこそは、記号といった共有可能なものの入り込む余地のない、純粋な思考の源泉だったのです。

こういう彼の信念は、おそらく私たちの大半が共有するものではないかと思います。だからこそ、ここではまず彼のいうイメージを検討し、そこから本題である記号に入っていきたいのです。

ベルクソンのいうイメージは、生物が事物を認識するときに視覚あるいは聴覚で感じとったものに相当します。彼はそこに記号といった社会的なものが入り込むはずはないと思ったのです。つまり彼は、個々のイメージを社会に影響されない、純粋で、自由な個人の精神の産物と見たのです。

ところが、記号とは彼が思うほど社会的なものとはかぎりません。ヤコブ・フォン＝ユクスキュル（Jakob von Uexküll 1864–1944）の『生物から見た世界』（*Streifzüge durch die Umwelten von*

Tieren und Menschen 1934）が示しているように、私たち生き物が生まれつき備えているものなのです。生き物はそれぞれの記号システムに基づいて行動しており、そのシステムが個体の中に埋め込まれていることによって、個体どうしのコミュニケーションも可能となるのです。

ベルクソンのイメージ論で問題なのは、私たちがなにより集団で生きている事実を忘れていることです。仮にも私たちが記号化されていないイメージで考えているとすれば、その考えを他の同類にどうやって共有してもらえるでしょう。というのも、存在するのは「私たち」という複数であって、その「私たち」がいなければ「私」というものは考えることすらできないからです。ベルクソンは集団で生きる生物のもつ根源的な記号システムへの理解に乏しかった、と言わざるを得ません。

脳が発達した人類のような生物の場合には、外界の刺激を受けた感覚器官がその刺激を電気信号に変換し、その信号が脊椎をとおって脳まで運ばれることで思考することが知られています。無論、生物の中には脳の発達が見られず、脊椎ですべての反応を生み出している場合もあるようですが、そのような応急反応でさえも、感覚器官の生み出す電気信号なくして成り立ちません。記号による了解は、生きとし生けるものの生存条件なのです。

そうはいっても、やはりベルクソンのほうが私たちの日常感覚には合うので、大抵の人はベルクソンに共鳴するようです。コミュニケーションすなわち共有性によって基礎づけられた生物学や社会学、言語学や心理学に共鳴する人は、依然として少ないのです。

2　ベルクソン

二〇世紀前半に活躍したベルクソンは哲学者として異例な存在です。西洋哲学の域をはるかに超えた普遍的な思想家といってよく、文学者や芸術家、さらにはスポーツ選手にまで影響を与えています。オーストラリアの陸上競技コーチだったセルッティの『チャンピオンへの道』（一九六三）をみれば、そこにもベルクソンへの賛辞が見られます。

彼の哲学の特徴はなによりその文体にあると言ってよいでしょう。彼の言語は大河の流れのように美しく、しかも捉えどころがありません。哲学者の言語はふつうは意味が固定されているのに、彼の場合は分析してもしきれない何かが残ります。彼の文章はその巧みが自然さの印象の背後に隠れ、およそ哲学的な分析を拒んでいるのです。彼が哲学者として異例のノーベル文学賞を一九二七年に受賞した所以も、そこにあると思われます。

彼の文章の魅力は、最初に世に出た博士論文にすでに現れています。『意識に直接与えられたものについての試論』（*Essai sur les données immédiates de la conscience* 1889）と題されたこの論文は、すらすらと読めるのが特徴です。しかし、読んでいて、「本当にそうなのか」と何度も首を傾げたくなります。まるで手品を見ているようで、魔法にかけられているような気がするのです。知らずにその世界に引き込まれ、立ち止まって考えようとすると訳がわからなくなる。そういう感じです。

ベルクソン哲学の要は直観です。しかも、その直観は彼のいう「イメージ」と「記憶」につながっています。人間の思考において最も重要なものはイメージとその記憶である、と彼は確信していたのです。

彼のいうイメージは、たとえばバラの香りを嗅ぐと過去の記憶がよみがえる、そのようなときのイメージです。過去のこのようなイメージが蘇るとある種の深い感動が生まれ、それが人間にとって最も重要な瞬間となるのです。

バラの香りを嗅ぎますと、たちまち子供の頃のぼんやりした思い出が記憶に戻ってきます。本当を言うと、そうした思い出はバラの香りで喚起されたわけではありません。私がその香りの中に思い出を嗅いだと言うべきなのです。私にはその香りが全てなのですから。他の人なら、別様にその香りを嗅いだでしょう。こう言うと、あなたは「同じ香りではありませんか。それと結びつく考えが異なるだけなのでは？」とおっしゃるかも知れません。そのように考えておられても構いませんが、忘れないでいただきたいのは、あなたがそのようにおっしゃるとき、そのバラが私たち一人一人に与えるさまざまな印象、すなわち個人的な部分をあらかじめ捨象しており、客観的な部分のみを、すなわちバラの香りの中で公に共有される部分のみを保存しているということです。これを言い換えれば、そのようなとき、あなたは（時間を捨象して）空間のみを保存しているのです。そもそも、そうでもしなければ、「バラ」とか「香り」といった名詞を充てがう必要もなかったでしょう。私たちの個人的な印象、他の人々の印象とは異なる印象を際立たせるには、ですから、バラの香りという一般化された考えに、個々の特徴を付け加える必要があるのです。それでもあなたはこうおっしゃる。「私たちの異なった印象は、私たちが異なった思い出をバラの香りと結びつけるからです」と。しかし、そこでおっしゃる「結びつける」ということですが、これはあなたが個人的にそうするのであって、他の人が共有できるものではありません。しかも、それを他人に伝えて説明するために、そうおっしゃっているのです。私たちはアルファベットを用いて言語に文字を与えますが、そうであっても、その言語のもつ固有の音声をアルファベットで表せるわけではない。これと同じです。

（『意識に直接与えられたものについての試論』一二一－一二二ページ　引用は拙訳）

こういう書き方で、ベルクソンはバラの香りを嗅いで子供時代を思い出す自身を語ります。それは鮮やかな過去のイメージのよみがえりであり、あるいは記憶に基づいて再構成された現在のイメージなのです。そのことをベルクソンは、「そうした思い出はバラの香りで喚起されたわけではありません。私がその香りの中に思い出を嗅いだと言うべきなのです」と表現します。これは驚きの表現ではないでしょうか。

人はふつう「思い出を嗅ぐ」ことはできません。しかし、ベルクソンに言わせれば、私たちがこの表現に驚くのは、「思い出はバラの香りで喚起された」という言い方に慣れ切ってしまっているからなのです。そういう私たちの方が現実から遠ざかっている、ということになります。「思い出はバラの香りで喚起された」は個人の主観的な印象を第三者的に言い換えたもので、もはやそこには「意識に直接与えられたもの」、すなわち具体的なイメージはないと彼は言いたいのです。こういう実感を伴わない表現のほうが社会では最も普通な表現になっていることを知った上で、あえてそう言ったのです。

バラの香りを嗅いだら過去の記憶が鮮明なイメージとしてよみがえってくるこの体験。本人にとって、これは自分ひとりの、自分にしか実感できない体験であるにちがいありません。それゆえベルクソンは、それは社会的に通用する言い方に変換することはできず、よって「私にはその香りが全てなのです」となるのです。個人の固有体験はほかの何びとにも体験できないので、それを表現するには、バラの香りの中に「思い出を嗅いだ」と言わざるを得ないというわけです。

人によっては「思い出を嗅いだ」という言い方を文学的あるいは詩的と言うでしょう。しかし、ベルクソンに言わせれば、それは個人の固有体験のできるだけ忠実な再現にすぎないのであって、そこには少しの言葉のあやもないのです。したがって、これを文学と結びつける必要はないということになります。

他方、「思い出はバラの香りで喚起された」は、たしかに「個人的な部分をあらかじめ捨象し」

た「客観的な部分のみを保存した」もので、この言い方は科学においては必須であるとしても、現実から乖離した表現として実感が持てないのも事実です。科学はその意味では最も社会化された知であり、普遍性を獲得する一方で、私たちが生きている現実から最もかけ離れたものとなるのです。

なるほど、数学にしろ、物理学にしろ、「個人的な部分をあらかじめ捨象」し、「客観的な部分のみを保存」することで成り立っています。みかんが3個あろうと、人が3人いようと、数学では3という抽象度の高い記号がそれを表し、固有性を捨象することで普遍性を得ているのです。

毎日決して同じようには見えない太陽の光も、物理学はその不変の部分にのみ関心を示し、それを宇宙のどこにでもある波動の一種として記述し、あるいは光子という微小物質として記述し、数式を用いてこの運動を表現します。そこには太陽という天体すら姿をあらわさないのです。私たちの捉える現実、意識に直接浮かび上がってくる現実とはかけ離れた言語の世界、それが科学の世界です。

さて、ベルクソンは「個人的な部分」を捨象し、「客観的な部分のみ」を保存することを「(時間を捨象して)空間のみを保存」することだと言っています。人間は世界を空間的に把握するだけでなく、時間的にもこれを把握しているのに、空間的にのみこれを把握するとは、彼にとっては大問題なのです。

空間的に把握するとは、私たちが外界を見てそれをひとつの画像として組み立てることです。

これは他者と共有できるものです。一方、時間的に把握するとは、その空間のなかで自分が生きているという意識が生み出すものであって、空間的な把握より主観的で個人的なものとなり、他者とは共有できないのです。

このように言うと、時間だって「時代」とか「日時」とか共有できるではないかと反論する人もいるでしょう。しかしベルクソンにすれば、時代とか日時とかは数直線上に表されるものであって、時間を空間化した結果なのです。空間化された時間は、時間の本質を失ったまがい物です。本当の時間とは個人によって生きられる絶体的な時間であって、空間化を許すものではないと彼は主張したのです。

このように考えるベルクソンが、物理学が依拠する等質的な時間という考え方を批判したのも当然です。科学では一秒は一秒で、次の一秒と全く同じ長さです。しかし、私たちの生きる時間は状況次第でその密度を変えるものであり、それを私たちは個人的な経験を通じて知っています。ベルクソンはこの生きる時間を問題にし、それを大切なもの、掛け替えのないものとしたのです。

ベルクソンも科学的な時間把握にも有用性があることは認めています。しかし、それをもって時間を把握したと思い込むのはとんでもない誤りだと主張したのです。物理学の時間は均一的で計量可能なものではあるが、それは空間化された時間であって、ほんとうの時間ではない。このことを彼は幾度も強調したのです。

時間に関する彼の主張は『意識に直接与えられたものについての試論』を貫くテーゼとなって

おり、彼は手をかえ品をかえこの主張を繰り返しています。近代科学に対する哲学の側からの大反撃といってよいものがそこにはあり、今日私たちが科学を考えるにあたって大いに参考になる論だといえます。

アインシュタインの相対性理論が現れて、一見するとそうした物理学的時間の不備が克服されたかに見えたことがあります。そのとき、ベルクソンはもろ手をあげてこれを歓迎しました。彼の哲学を知る者には理解できる反応です。

しかしながら、二人のやりとりを見ると（書簡が残っています）、結局アインシュタインは物理学から一歩も出ようとせず、両者の相互理解は中途挫折した感があります。これについては、カナレスの『アインシュタインとベルクソン　我々の時間理解を変えた二人の論争』が詳しく解説していますが、私には二人がどこでどのように互いを誤解したのか、いまひとつ理解ができません。

先に引用した『意識に直接与えられたものについての試論』のバラの香りを嗅ぐ一節は、ベルクソンの遠い親戚であったマルセル・プルーストの『失われた時を求めて』（*À la recherche du temps perdu*　1913-27）の有名な「マドレーヌ」の一節を思わせます。その箇所を引用してみます。

もう何年ものあいだ、コンブレイでの私には、寝る時に浮かんでくるあれこれの悩み以外は頭になかった。ところが冬のある日、家に戻ると、母が寒そうにしている私を見て、「お茶でもどう?」と言ってくれたのだ。そんなことは通常ないことだったので初めは断ったが、なぜか、思い直して受け入れた。

母は召使いに菓子を持ってくるよう命じた。菓子というのは、ふっくらした小さなもので、プティット・マドレーヌという名がつけられていた。帆立貝の形をしていて、貝殻に筋が入っている。

翌日のことを考えてうんざりしていた私は、何の考えもなくスプーンに乗っていたマドレーヌのかたまりを茶に浸して口元に持っていった。ところが、それが私の口内に触れたとき、思わず全身に震えが走り、一体何が起こっているのかと自分でも不思議に思って事態を注視した。なんともいえない甘美な悦びが全身に滲みわたり、しかも他の感覚とは明らかに異種のものと感じられた。

原因はわからなかった。ただ、日常の煩わしさが今やどうでもよいものとなり、厄介なことを少しも厄介ではないと感じるようになり、人生は短いなどという思いも幻のように感じられ、まるで愛の真只中にいるかのように、この上なく貴重な何かに満たされている感じがした。

いや、というよりむしろ、その何かが私自身であって、私がそれと一つのものになっているという感じだった。つまらなく毎日を過ごし、たまたま生きてやがては死ぬ存在だという日頃の思いがいきなり消えた。

今にして思うのだが、あの力強い喜びは、一体どのようにして私にやって来たのだろう。それがお茶とマドレーヌの味と結びついていたことは確かだが、そんなものをはるかに超えた、もっと深い歓びが確かにあったのだ。

（『失われた時を求めて』「スワン家の方へ」五四－五五ページ　引用は拙訳）

このようにいう作者は、マドレーヌと茶によって感じた強い歓びの原因はわからなかったと言っています。しかし、それが失われた幼き日の記憶のよみがえりと関係していたことは、先の引用の少し先の以下のくだりを読めばわかります。

そのとき、いきなりある思い出がよみがえった。あの味は、昔コンブレイで日曜の朝に（日曜日はミサに行く時間まで外出しない習慣だった）、レオニイ叔母さんの部屋に行って朝の挨拶を言うと、叔母さんが紅茶かそれともリンデン茶かに浸してくれた、あのマドレーヌの味だったのだ。（中略）人が死に、さまざまなものが崩壊し、遠い過去がなにもかも消えてしまうような時、はかないはずなのに強く、無形なのに案外しつこい匂いと味だけは魂のようにいつまでも残りつづける。そして、すべてが崩れ去ったのに、私の心がそれを思い出すのをいつまでも待ちつづけているのだ。あのマドレーヌと茶の匂いと味とが、ほんのわずかの、誰も気づかないほどの雫の上で、思い出という大きな建造物をひるまず支えているのだ。

（同上書　五七ページ　引用は拙訳）

ベルクソンがバラの香りで「失われた時」を取り戻したように、茶に混じった「マドレーヌの味」で作者プルーストは「失われた時」を取り戻したのです。しかも、その歓びはベルクソンのよりも大きかったかに見えます。

ここで注意すべきは、プルーストが日常の煩瑣な出来事にともなう時間と、マドレーヌと茶によって喚起された時間とを区別していることでしょう。回想によってよみがえった時間は彼自身の記憶の奥に潜んでいた時間であり、それとの邂逅が彼に幸福をもたらしたのです。言うなれば、それは永遠との邂逅です。失われた時との邂逅は、日常の時間の壁の向こうの永遠の時との邂逅なのです。

ベルクソンが主張した「時間」もそれに類するもので、私たちの日常の時間でも、物理学者が計測する時間でもなく、もっと奥深い、言うなれば「魂」の時間です。ベルクソンやプルーストがそのような貴重な時間の体験をできたのは、彼らの脳裏に過去の経験のイメージが時空を超えてよみがえったからなのです。

3　イメージと記号

ベルクソンは『物質と記憶』（*Matière et mémoire* 1896）の第七版の序文で次のように言っています。

私たちにとっての物質はイメージの集合である。そのイメージとは観念論者がいう表象以上のものであり、現実主義者がいう事物以下のものと言ってよい。したがって、それは表象と事物の中間にある。

（『物質と記憶』一ページ　引用は拙訳）

ここから言えるのは、私たちの知覚する世界はイメージの集合であり、事物の認識とはそれについてのイメージを持つことだということです。今日的に言えば、知覚とは私たちの感覚器官が脳に発信する情報ですから、その情報がただちにイメージへと変換され、それが私たちの事物の認識となるということになるでしょう。

ベルクソンがいう「表象」は「概念」と言い換えてもよいものです。それは事物の認識を他者と共有できるように抽象化・一般化したものであり、それが構築されるまでの私たちは個人的な認識の世界、すなわちイメージの世界にとどまっているというのです。何度も言いますが、ベルクソンはこのイメージの世界を大切にします。

たとえば、私はきのう近くの公園に花見に行きました。そこで見た桜の花は夕方の光を受けて格別でしたが、それは私個人の体験であり、これを抽象化して「きのう、花見に行った。とても美しかった」と人に伝えることはできても、そのときの雰囲気や花びらの陰影、風のそよぎ、それにともなう私の実感までは伝わりません。それを多少とも伝えるのは詩歌、あるいは絵画でしょうけれど、それでも伝わるかどうか。どうやら、ベルクソンは正しかったように思えます。

しかし、絵画や詩歌があるのは、私たちがその伝わりにくいところを伝えたいからではないでしょうか。集団として生きる動物である人類は、どんなに個体的なイメージであり感情であっても、それを他者と共有しなくては済まないものなのです。そうでなければ、言葉の工夫や色や形の工夫などしなくてよいはずです。ベルクソンのいうイメージが私たちの認識の根源にあるとしても、それは個体の中にとどまり続けるわけにはいかないのです。

『物質と記憶』という本にもどると、その題名にもあるように記憶がテーマとなっています。ベルクソンはこの書において「記憶」が物質には還元できないことを主張しているのです。『意識に直接与えられたものについての試論』で時間を空間から区別した彼は、ここでは精神を物質から区別します。精神を、物質に還元できない記憶と深く結ばれたものとして扱うのです。

記憶には二種あって、機械的な反復による記憶と、回想によってよみがえる過去の出来事の記憶とがあるとベルクソンはいいます。前者は物質的に説明がつくが、後者はそうはいかないというのです。

彼のいう回想的記憶の核は端的に言って「イメージ」です。でもそのイメージは、もはや事物と表象の中間物というだけのものではなく、記憶されることで精神的な次元を獲得した格別なものであり、すなわち魂に結びつくものとなっているのです。

そうはいっても、たとえば先に出てきた「バラ」のイメージは、植物であるバラと切り離せないと思うのですが、ベルクソンのいう記憶に刻まれたイメージは、もはや植物としてのバラではなく、精神によって意味づけされた永久保存版です。そういうわけですから、このイメージは彼がバラの香りを嗅ぐときにしかよみがえりません。このよみがえりは決して物質で説明しきることができない、とベルクソンは主張したのです。

なぜ、それができないのか。なぜなら、物質とは原子であったり分子であったりするのですが、原子も分子もたった一つしかないわけではなく、数えきれないほど多くあり、しかもどれも同一の構造体ですから、一回限りの経験を説明し尽くせるわけがないのです。

科学というものは、物質が何度でも同じ現象を提示する時にしか役に立ちません。ベルクソンのいう永久保存版のイメージには一回限りという限定条件があるので、科学では説明不可能なのです。

ところで、この過去の記憶ですが、それは過去におけるある状況で起きた出来事の記憶です。したがって、それは物語の形をとらざるを得ません。その出来事がどんなに短くとも、そこには生きられた時間の感覚があり、それは物語特有の時間です。したがって、それは一種の文学的時間であるとも言えるし、あるいはそういう時間を生きるのが私たち人類ならば、人類そのものが文学的動物ということもできるのです。

また、私たちが生きるこの物語的時間は、夢のなかでの時間と似ていなくはありません。夢には一種の物語があり、そこにも時間は流れていますが、その時間は目覚めている時の時間とは異質のものにちがいありません。目覚めているときに測ればたったの数秒であっても、夢の中では感覚として何ヶ月、あるいは数年であったりする。この時間は、ベルクソンのいう時間とどこかで関係していそうです。

ベルクソンと同時代のフロイトはこの問題を彼なりに考えたようで、彼の『快感原則の彼岸』(*Jenseit des Lustprinzips* 1920) によると、「無意識は無時間的」ということになります。

精神分析で発見したことがらをもとにして考えると、カントが言った「時間と空間とは思考の必然的な形式である」という命題には疑義を呈することができるように思われる。精神分析によれば、人間の無意識的な精神過程そのものは無時間的なものなのである。

(『快感原則の彼岸』二二ページ)

つまり、カントのいう普遍的で絶対的な時間の観念は、意識の上では正しいかもしれないが、無意識レベルではそうではないとフロイトは言うのです。

ちなみに、カントの時間観念はアインシュタインの相対性理論によって乗り越えられたと言われます。しかし、実際には現代のどの国でも人々はカント的な時間観念を基準に生活をつづけています。私たちはいつも時計を見て生活しているではありませんか。眠っている時だけ、その時間を忘れるのです。

ところで、ベルクソンが「時間的」といっているところをフロイトが「無時間的」といっているのは、どうしてでしょう。両者は正反対の考え方を示しているかに見えるのですが、実はそうではありません。というのも、フロイトがそこでいう「時間的」とは、カントが主張した「普遍的にして絶対的な時間」のことで、近代科学が依拠する時間を指すものだからです。フロイトは、無意識はそうした時間から自由だと言っているのです。

つまり、ベルクソンが『意識に直接与えられるものについての試論』で批判した科学の時間観をフロイトも批判しているのであり、フロイトのいう「無時間」は、ベルクソンのいう「時間」とほぼ同じものなのです。

ベルクソンのイメージに話を戻すと、彼が言いたかったのは、私たちはイメージで考えているのであって、概念で考えているわけではないということです。概念で考えるとき、人はもはや個人として考えない、社会として考える。なぜなら、概念とは万人に共通するものとして抽象されたものだから、というわけです。

　概念はたしかに普遍性をもたらし、それが数学や科学を基礎づけます。しかし、それは個々の生の真実から離れるもので、本当の考えではないというのがベルクソンの立場です。ベルクソンは数学や科学を否定しはしません。でも、人は事物と表象の中間にあるイメージで考えるときこそ己の世界を実現できる、と確信していたのです。概念で考えてしまったら、もはやそこに個性の入る余地はなくなり、思考の純度が落ちる。これを彼は嫌ったのです。

　3＋3＝6にはいかなる個性も反映されません。自然科学で用いられる概念的言語には、いかなる個人の思いも反映されません。もし人が概念でのみ考え、イメージの媒介を経なかったなら、その人は完全に自己から疎外されてしまうでしょう。ベルクソンはこの危険を同時代の空気のうちに感じとり、その危険から自由になる道を哲学に求めたといえるのです。

　これを彼なりに言えば、空間的思考に毒された精神を自由にするには「時間」をとり戻す以外にない、ということになります。

　ところで、ベルクソンのいう思考の源泉としてのイメージは、今日の脳科学の見解とは異なります。以下は現代の脳科学を代表するジェラルド・エデルマンによる言語習得以前の脳の思考についての説明ですが、ベルクソンならこれに対して異議を唱えたでしょう。

脳は選別的なシステムであって、論理によってはたらくのではなく、パターン認識によってははたらく。この認識は論理や数学のような正確さは欠けるが、広域をカバーすることを目指すものなのだ。そういうわけで、人類はまずメタファーで思考し、数理を学んだ大人においてもそれが思考の中心となるからこそ、想像力や創造力を発揮できるのである。人間の脳がありとあらゆる多様な事象を結びつけてメタファーを作り出すことができるのは、脳に「情報再入力変性システム」(reentrant degenerative system) があるからである。メタファーは喚起力を持つとはいえ、検証ということができない性質のものだが、思考の強力な出発点であることに変わりはなく、それが論理を得て大きな思想に発展することも十分あるのだ。繰り返すが、こうしたメタファー力は、脳がパターン選別をするシステムであることによる。

(『第二の自然』五八 - 五九ページ　引用は拙訳)

つまりエデルマンは、多くの知覚から脳が選択したものがイメージを構成しており、その時点で脳はすでに思考していると言っているのです。

一見するとベルクソンのいうイメージ思考と矛盾していないようにも見えますが、エデルマンを含めた多くの脳科学者は、それを精神という実体を措定せずに物質的に説明しようとします。したがって、脳が選択した知覚にもとづくイメージは、彼らにすれば単に生存にとって有益なイメージであり、それ以上でも以下でもないのです。

これはベルクソンの考えるイメージとは大きく異なるものです。ベルクソンのいうイメージは、前にも言ったようにそうした原初的欲求を超えた高次のもの、すなわち魂のはたらきに通じるものなのです。脳科学は科学であり、科学は世界の物質面しか解明できない。したがって、科学は十分な知識ではない。ベルクソンなら、そう言ったでしょう。

ところで、先の引用で、エデルマンは脳が言語の影響を受ける前の段階においてはメタファーで思考していると述べています。これはどういうことでしょうか。

まず言えるのは、イメージが記号化されていなくてはメタファーとしてはたらくことはないということです。ここでのメタファーは文学的な修辞ではなく、脳がたとえばリンゴのイメージを構築すると、それがたちまち他の類似物のイメージと結びつけられ、一種の概念の星座をなすという意味です。したがって、別に詩人でなくとも、誰もがこの意味でのメタファーによって思考していることになるのです。

ベルクソンもイメージのもつメタファー性を理解していなかったわけではないかも知れません。ほかならぬ「バラの香り」による過去の想起のエピソードは、それを物語っているといえます。なんとなれば、実際のバラの香りがメタファーとしてはたらかなければ、それが子供時代を想起させることはできないからです。

しかし、そうであってもなお、ベルクソンはこのイメージを「メタファー」と呼ぼうとはしなかった。メタファーという言葉は、イメージを一種の記号として見ないかぎり出てこないものだからです。彼にとって、記号とはあくまで人為的な約束事であり、社会的なものでした。したがって、これを純粋に個人的な体験とその記憶とに適用するわけにはいかなかったのです。

さて、ここで考えなくてはならないのは、脳科学者エデルマンのいうメタファー思考は私たちの知覚の記号化が、言語以前、すなわち社会化される以前に脳において生じていることを示唆しているということです。そこでの記号は、したがって社会によって構築された人為的なシステムとは異なる種類の、いわば天然のシステムなのです。ベルクソンに欠けていたのは、この天然の記号システムについての認識だと思われます。彼はそれを社会がつくった人為的な記号と同一視してしまったのです。

さらに言えば、社会が言語を生み出したという言い方にも問題があります。言語を生み出したのは社会ではなく、社会生活を人類に課した自然だからです。どのような進化の過程においてそれが起こったかは不確かであるにしても、言語そのものが人類に出現したのは生物的事実であって、社会的事実ではないのです。しかも、その言語は純然たる記号システムです。このシステムなしに人類は一瞬たりとも生きられないとすれば、ベルクソンのいう個人と社会の区別は、その点からも見直されなければならないでしょう。

なお、ベルクソンが個人的なもの、私的なものを社会から区別してそこに特別の価値を置いたことは、近代社会が歓迎する個人主義の影響によることを示しているかに見えます。しかし、彼の場合、その個人主義は個人の権利を基礎にした近代的な主張とは異なるもので、むしろ老荘思想でいう「真人」の考え方に近いものだったと思われます。言い換えれば、ベルクソンの個人主義は超越的なものとつながるのであって、彼のいう記憶に蓄えられたイメージも、このことと直結していたのです。これをいかなる記号で表すこともできないという彼の主張は、禅における「不立文字」と似た発想だったといえるでしょう。

4　デュルケーム

ベルクソンの個を重視する立場は、社会を個より重視する同時代人デュルケーム（Emile Durkheim 1858-1917）への批判となって現れました。最晩年の著書『道徳と宗教の二源泉』（*Les deux sources de la morale et de la religion* 1932）にはデュルケーム批判が見つかります。それを要約すると、以下のようになります。

デュルケームが「集団表象」という言葉で言い表しているものを自分は否定するつもりはない。しかし、彼が社会を唯一の実体とし、個人を社会から抽出された概念に過ぎないというとき、これには反対せざるを得ない。なんとなれば、もし社会が唯一の実体なら、個人の意思が社会の意思に背くような場合があることを説明できなくなる。それに、社会の意思はどのようにして個人の意思のなかに入り込み、これを支配するようになるのか、これをデュルケームは説明していない。

（『道徳と宗教の二源泉』一〇七－一〇八ページ　引用は拙訳）

以上がベルクソンのデュルケーム批判ですが、そこで言及している「集団表象」（représentations collectives）を含め、デュルケームのそもそもの立場について述べておく必要があるでしょう。

デュルケームの立場は彼が『社会学と哲学』（*Sociologie et Philosophie* 1911）においてはっきり述べているように、「社会は個人に対して超越的かつ内在的だ」というものです。彼にとって社会が個に優先するものであったことは明らかなのです。「超越的かつ内在的」とは個人を超えた力を持つとともに、個人のなかに存在し、個人を動かしているという意味です。この表現はヨーロッパの神学で「神」について使われていたものですので、デュルケームにとって社会とは神のことだったと見てよいでしょう。

では、ベルクソンが言及している「集団表象」とはなにかといえば、社会が社会として個人を超越していることを示すための象徴的な記号のことだと言ってよいでしょう。どの社会にもそうした表象があり、それは「聖なるもの」（le sacré）とされ、社会の成員がこれに敬意をいだくことで社会は団結を強めるのです。

そんなことを言われれば、近代国家で宗教を全面に掲げているのはイスラム国家ぐらいではないのかと疑問を抱く人もいるでしょう。しかし、実際にはどの社会にもそうした聖なるものはあるのです。たとえば日本社会においては天皇がそうした集団表象です。第二次大戦後の日本では天皇は神でないとされていますが、それでも天皇を否定することは多くの日本人にとって日本社会を否定することであり、それが近代的な思想でないことはわかっていても、天皇は神聖視されるのです。英国の王室についても同様です。英国王や女王は、英国の聖なる部分である英国国教会の首長なのです。

フランスのように国王を持たない近代社会では、聖なるものが「個人」というものに集約されます。言い換えれば、フランスという国の集団表象は「自由・平等・博愛」であり、人権であり、個人なのです。この集団表象のあり方はアメリカでも共有されており、これらの国では個人を神聖視することが国家の信条となり、それが社会の維持につながっているのです。

このように考えるデュルケームですが、彼がベルクソンの言うように社会を唯一の実体と見ていたのかどうかはわかりません。彼も個人を実体であると見ていた節があり、そうであるからこそ、社会を個人に優先させるための集団表象が必要だと主張したのだと思われます。彼が危惧したのは、個人が強調されすぎて社会の基盤が揺らぎ、その結果、個人の存在を支えるものがなくなる事態だったと思われます。個人の実在を認めておればこそ、彼はその個人を存立させるための社会を尊び、これを強化する必要を感じたのです。

ただし、そうであっても、ベルクソンとデュルケームの見解が異なることは否めません。ベルクソンにすれば、集団表象が個人の意思に影響することは認められても、それを逃れ得る可能性は個人に残っており、その個人的な部分こそが神聖だったのです。デュルケームに言わせれば、そのような個人の自由もまた社会のためのものであり、社会はシステムとして自らを維持するために反社会的な要素をも許容するのであって、いかなる個人的な思想も行動も、究極的には社会による、社会のためのものだったのです。

では、そういう立場からすると個性なるものは認められないのかというと、社会が個体を社会化したのちに個体に還元する一定の自由こそが個性に相当する、というのがデュルケーム的解釈となります。つまり、個人主義も社会の生み出したものの一つにすぎない、と見たのです。

このような立場は彼の時代にはあまり顧みられていなかったホーリズムの立場といってよいものです。システム工学的な立場といってもよいでしょう。ホーリズムとは全体は部分の総和以上のものであり、全体を把握しなくては部分はわからないという考え方です。システム工学とはその考え方を機械および生体に応用したもので、今日の社会学や生物学に大きな影響を及ぼしています。

デュルケームの社会観は、人によっては至極まともだと思うでしょうが、彼が生きた西欧の近代社会がこれを喜んで受け入れたはずがありません。なんとなれば、アメリカも含めて西欧世界では個人あっての社会という考え方が優勢だからです。もっとも、同じ西欧近代には社会主義思想が生まれ、個人主義と自由主義に歯止めをかけようとする動きもありましたから、デュルケームに賛同する人も確かにいたでしょう。

ついでながら言っておきたいのは、デュルケームがいくら社会を優先させたからといって、国家を優先させたわけではないということです。すなわち、彼を社会主義者と見なすことはできても、国家主義とはまったく異質の思想を持っていた人だと認めなければなりません。彼のいう社会とは society の原義である「人と人のつながり」です。その意味で、これをつぶして国家に権力を集中させようとする国家主義に対しては、彼自身非常に警戒的だったのです。

また、デュルケームを社会主義者と見る場合でも、それを政治イデオロギーに結びつけてはなりません。彼のなかにあった社会主義はなによりも社会を優先させることを目指すものであって、たとえば階級闘争を唱えるマルクス主義とは異次元のものだったのです。

ここで私見を言わせてもらえば、「社会は個人を超越する」という彼の考え方は、人類の実情に即したものだと思われます。私たちが社会なしに存在できないことは事実であるし、私たちひとりひとりが社会の産物であることも事実だからです。

言語を持たなかったアヴェロンの野生児が、動物としても人間としても不適格だったことを思い出してください。あの野生児は生物的個体としては存在したが、社会化されていなかったために他の同類とのコミュニケーションも不能であれば、知能の発達も不十分であり、結局、ひとりの人間になれなかったのです。

ついでながらいえば、人間以外の動物には言語がないと言われますが、群れをなす動物は言語がなくても群れをなすために必要な交信手段をもっています。動物言語学者の岡ノ谷一夫がいうように、野鳥にしてもそのさえずりは親からならうのであって、それによって野鳥社会で生存していけるだけでなく、「個性」をも養っているのです（『さえずり言語起源論』二〇一〇）。デュルケームの社会観は、集団生活を営む生物としての人類の実情に即していたというべきで、今後も彼の主張の価値は変わらないでしょう。

5　レヴィ＝ストロース

これから問題にするレヴィ＝ストロース（Claude Lévi-Strauss 1908-2010）はデュルケームの社会学を継承した人類学者です。本人はデュルケームのほか、その甥のモースにも学恩を受けたと述べていますが、確かにこの二人の影響なくして彼は彼たり得なかったにちがいありません。デュルケームへの恩義を表した文章は「民族学がデュルケームに負うもの」（Ce que l'ethnologie doit à Durkheim 1960）であり、モースについては「マルセル・モース論文集への序文」（Introduction à l'oeuvre de Marcel Mauss 1947）があります。

ここでレヴィ＝ストロースを取り上げるのは、彼こそが「記号」（signe）というものの重要性を強調した人だからです。ベルクソンが事物と表象のあいだにイメージを置いてこれを重視したとすれば、レヴィ＝ストロースはこのイメージの代わりに記号を置いて、人類はこれによって思考しているると主張したのです。

彼の主著『野生の思考』（*La pensée sauvage* 1962）に以下の言葉が見つかります。

イメージと概念のあいだに記号というものがある。（…）記号はイメージと似て具体的なものであるが、他のものに言及するという点では概念に似ている。（…）記号と概念のちがいはというと、後者はその言及範囲が無限であるのに、前者はそれが限られていることである。（…）この限定は私たちに過去を振り返ることを要求し、与えられた条件に従うことを要求するのである。しかも、その過去と条件とは、モースが言ったように、私たちにとって「宝物」なのである。

（『野生の思考』三二ページ　引用は拙訳）

これだけを読んでもわかりにくいと思うので付け加えますと、まずレヴィ＝ストロースは「記号」によって思考するのが「未開社会」の思考法であって、それは「概念」によって思考する近代科学の思考法とは対照的だと述べています。彼にとっては「未開」の思考法こそは人類のモデル（＝範）であり、したがって人類は基本的に記号で思考していることになります。一方、概念的な思考は近代科学というごく限られた範囲でのみ発達している、ということになるのです。

では、記号と概念のちがいは何でしょう。概念は原則的に無限個の事物に言及可能ですが、記号のほうは有限だというちがいがあります。たとえば「花」という植物の概念は無限個の花に当てはまるのに、記号としての「花」は文化的伝統によってその意味合いが異なり、たとえば日本人にとっての「花」は過去から受け継がれた美学に関わるものであって、この記号を用いることはその美学を受け継ぐことにつながるのです。そういうわけで、「花」という記号は日本人にとってはある美的価値をもちますが、日本社会の外では同じ価値を持ちません。その言及範囲は限られているのです。

すでに述べたように、ベルクソンはイメージを個人の思考領域に属するものとしていました。彼は記号という言葉を使いませんでしたが、それは記号を公共の思考領域に属するものと見たからです。なるほど記号といえば、ソシュールが言語を記号システムと考えたように公のもの、社会で共有されるものです。しかしながら、仮に記号システムが社会の生み出すものであるにしても、そのシステムの大元は社会ではなく、社会的生物としての人類の自然が生み出したものにちがいありません。ベルクソンのイメージ論が含む記号への理解は、やはり不十分だと思われます。

もちろん、言語という記号システムは各社会のものです。しかし、どの社会も言語をもっているという普遍的な事実は人類の自然に由来するのです。ベルクソンのように記号というものを公のものとするだけでは、記号の表面しか見ないことになってしまいます。そこを衝いたのがデュルケームであり、レヴィ＝ストロースだったのです。

デュルケームとその後輩たちが考えた社会というものは公という意味ではなく、人類の自然としての社会だったのです。ベルクソンはそこを見落としたといえるでしょう。

すでに述べたことですが、近代の西欧ではベルクソンの方が個人の自由を重視しているために受け入れられやすくなっています。デュルケームの立場、そしてレヴィ＝ストロースの立場は社会を個人より重視するもので、そこには西欧近代文明に対する挑戦が含まれているといえるのです。

人類全体を視野に入れていた彼らにすれば、個人が社会を成り立たせていると考える西欧の視点こそ是正されるべきものでした。しかし、そうした是正はあまりなされなかったというのも、現代のアメリカも含めていまだに西欧先進諸国は個人主義を全面に掲げ、その勢いは衰えていないからです。

ところで、レヴィ＝ストロースは構造主義者として知られています。構造主義とはすべてに構造を見出し、その構造の把握から細部を理解する方法をいうのですが、その考え方の基本は一種のホーリズムであって、ある事象をひとつの全体としてとらえ、その構造を把握し、そこからそのシステムを構成する各部の意味を解明しようとするものです。

これを言い換えれば、システムを構成する各部は全体を間接的に表す記号であり、その意味を確定するにはシステム全体をみる必要があるということになります。この考え方はソシュールが提唱した記号学の考え方を踏襲したものであり、それをレヴィ＝ストロースは人類学に応用したのです。

では、どうして記号学なのか。「木を見て森を見ず」といいますが、ある物ともうひとつの物がたがいに関係している以上、その二つを含む全体を見なくてはそれら二つのそれぞれの意味は把握できないからです。つまり、まず「森」を見なくてはそれぞれの「木」の意味はわからない、ということなのです。

記号学とはこの考え方に依拠する世界理解の方法であり、ひとつひとつの記号が何を伝えようとしているかを見るには、複数の記号が集まった全体をつかみ、記号どうしがどのように結びついているか、その構造を把握しなくてはならないという考え方なのです。

身近な例で説明しましょう。交通信号は交通規則を単純な形で示す記号システムです。車の運転者や歩行者の安全を確保するための、記号を用いてメッセージを伝えるシステムなのです。これを記号学的にいえば三つの色が記号化され、それぞれが異なった意味を持たされている。すなわち赤は危険、青は安全、黄は注意を意味する記号となっているのです。

単独で見れば、赤は赤で別に危険という意味をもつわけではありません。黄も青も同様に単なる色であって、それ以上の意味はありません。しかし、赤・黄・青と三つでセットになり、すなわちひとつの記号システムになると、この全体に照らしてそれぞれが新たな意味を持つのです。危険・注意・安全というふうに。

運転者も歩行者もこのシステム全体をまず把握しなくてはなりません。その上で、三つの記号のそれぞれの意味を了解しなくてはならないのです。全体を把握してこそそれを構成する記号の意味も判明するとは、そういう意味です。

交通信号は非常に単純な記号システムですから、誰もがこれを理解するでしょう。単純であるというのは構成要素が三つしかないからで、赤と青が対立している一方で、黄がその中間項として両者をつなぐ構造になっているのです。同じような構造はたとえば日本の伝統的な結婚式にも見られ、新郎新婦の中間に仲人が入ります。新郎と新婦は記号化されて前者が白、後者が紅とされ、紅白饅頭が披露宴で配られたりするのです。ちなみに、仲人は色がない、無色の存在です。

大晦日の紅白歌合戦も同じ記号システムからなっています。ロラン・バルトという記号学者が日本に来た時、彼はこの国が記号システムだらけだと気づいて唖然としたそうです。帰国してから『記号の帝国』(*L'Empire des signes* 1970)という本を出しました。

システムが複雑になれば、発信された情報が受信者に理解される可能性は減ります。また情報伝達の方法が複雑化すると、その方法に精通していないとまったく理解できない場合が出てきます。たとえばモールス信号というのがありますが、この信号の規則を知らない人には意味不明です。言語にしてもそうで、外国語はその発音も異なれば抑揚も異なる記号システムなので、この言語の構造と記号のはたらきを知らなくては意味不明となるのです。

先にレヴィ＝ストロースはソシュールの記号学を継承し、それを人類学に応用したと述べました。具体的には、「未開社会」の構造はその婚姻規則や神話の構造に端的に反映すると見て、これらを記号学的に解明したのです。その結果わかったのは、人類の社会システムには共通の構造があるということで、そこに彼の学問が普遍的な性格を持つに至った所以があります。それまで個々の民族の研究であった民族学が、これによって「人類学」へとアップグレードされたのです。

レヴィ＝ストロースが「未開社会」を研究対象に選んだ理由は、さまざまな歴史変化によって構造がぐちゃぐちゃになっている「文明社会」よりも「未開社会」のほうがその構造が見えやすく、また神話にしても歴史の偶然的要素が介入していないために純粋な形を保っているからです。彼は「未開社会」をモデルに人類社会を考え、記号で考える生き物としての人類の最大公約数を見つけ出そうとしたのです。

6 トーテミズム記号学

レヴィ＝ストロースが「未開人」に発見したのは、ほかならぬ「未開人」が記号学を用いて自然を理解していることでした。古くから人類学者の注意を引き、原始宗教ないしは動物崇拝と解釈されてきたトーテミズムを、彼は「未開人」による自然界の記号学的把握として理解したのです。

『今日のトーテミズム』（*Totémisme aujourd'hui* 1962）はレヴィ＝ストロースの主著『野生の思考』（*La pensée sauvage* 1962）の序をなすような小著です。彼はそれまで原始信仰の一形態とされていた「トーテミズム」を「未開人」の記号学のあらわれとして見直しました。その根拠はというと、トーテミズムを信仰の形態として理解しようとすると、それに当てはまらない例がかなりあるからで、彼はこれを「未開人」の社会的要請にもとづく自然理解の方式であると考え直してみたのです。すると、それまであった謎が謎でなくなり、トーテミズムが記号システムであることがはっきりしました。

レヴィ＝ストロースによれば、社会がいくつもの小集団に分かれ、それぞれが互いに異なるものとして認識されるためには、それぞれの集団を色分けする必要があります。その色分けにたとえば動物種を用いたのがトーテミズムなのです。

動物界にはワシ、フクロウ、オオカミ、ヤマネコ、クマなど互いに異なる種がある。人類はこれら動物種の差異から不連続記号システムを考えつき、これを小集団に割りふってワシ組、フクロウ組、オオカミ組、ヤマネコ組、クマ組というふうに社会集団を記号化する。これによって社会集団それぞれが自然界と結びきを強めると同時に、自然界が絶対的な安定を保つかぎりにおいて各集団は他集団との差別化が保持される。しかも、動物たちが一つの世界を作っているように、自分たちも一つの社会をつくっていると実感できるようになる、というのです。

このようなトーテミズムの社会学的説明は、それまでの宗教学的な説明とちがってトーテミズムを完全に外から見てこそ可能となるものです。しかも、こういう外からの説明によって、「未開人」が「文明人」とまったく同じ人間であることがわかってくるのです。なぜなら文明人と言われる人々もこの種の記号学をもっており、それを日々実践することで社会生活を営んでいるからです。

たとえば、プロ野球のチームの表象には今でも動物種が用いられています。タイガースやスワローズ、バファローズやホークスなど。また、幼稚園のクラスにはサクラ、カエデなど植物種が用いられることがしばしばです。

トーテミズムを従来のように原始宗教と見てしまうと、所詮「未開人」は文明人が「文明人」になる以前の人類となってしまい、「未開」と「文明」のあいだに溝ができてしまいます。レヴィ＝ストロースのトーテミズム論はこの溝を埋めることにもなったのです。

先にトーテミズム＝原始宗教説はいくつかのことが説明できなくなったと言いましたが、「未開社会」において社会集団おのおのが自分たちの集団を表象する動物に対して畏敬の念をもつことは事実だとしても、「未開人」のなかにはトーテム動物の種がある事情で変更されたとしても一向に気にしていないという事例もあるのです。特定の動物への信仰であったなら、そうした変更は容易にできないし、変更すれば社会的混乱が生じるでしょう。しかし、動物種が記号に過ぎないのであれば、変更は大きな支障をきたさないのです。

ところで、レヴィ＝ストロースの人類学の特徴は人類を何よりも知的な動物と見るところにあります。彼の少し前の世代の人類学者にマリノフスキーという人がいたのですが、レヴィ＝ストロースはこの人を批判して、「未開人」は生存のために思考しているとはかぎらず、まず思考し、それから生存に適した選択をしているのだと主張しています。

「未開人」のあいだで生活し、彼らとのコミュニケーションを重んじていたマリノフスキーは、「未開人」が植物の分類をするとき、それが食用に適しているかどうかを基準にしていると述べています。レヴィ＝ストロースはこれを否定し、「ある植物は食用に適しているかどうかではなく、まずそれがどんなものであるか知りたいという欲求から思考の対象となるのである」と言っているのです（『野生の思考』第一章）。

この観点は、彼と同じ世代でシステム生物学を提唱したエルサッサーの理論とも重なります。情報科学を基礎にして生物学を打ち立てたエルサッサーは、生物が非生物と異なる点のひとつとして「象徴記号を操作する能力」を挙げ、一見すると高等動物しか記号操作などできないように見えるけれども、生物の感覚器官にはそれぞれの器官に特有の限界があるものの、感覚される現象をその限界の範囲で「象徴記号」に置き換えて把握していると言っているのです（『生物学の要点』一九七五）。これはそれより半世紀以上前にヤコブ・フォン＝ユクスキュルが述べていたことをより精密に論じたもので、記号操作能力はその記号システムが単純であるか複雑であるかのちがいはあるにせよ、どのような生物にも備わっているというのです。つまり、人類にかぎらず、生物そのものが記号学を身につけているということになります。

このことを裏づける事実を挙げておきましょう。渡り鳥がどのようにして方向を間ちがわずに遠距離を飛行できるのかを調べた科学者たちは、渡り鳥が身体内に持つ磁石が地球から発せられる磁気を感知し、その情報を脳で視覚的な記号に変換し、その結果生まれた一種の地図のイメージを頼りに彼らは飛行しているのです（ムーリッツェン「海鳥における地磁気の刷り込み」二〇二〇）。飛行機と同じ方法で目的地に間違いなくたどり着く。これ自体すごいことですが、磁場情報を記号化するというところが本章のテーマからいうと重要になります。生き物の記号操作の優秀さを物語る一事、ということになるでしょう。

もう一つは、私たちの情報処理の仕方です。私たちは外界の情報を眼や耳などの感覚器官を通じて受けとりますが、これらを電気信号に翻訳しなければ神経を伝わって脊椎や脳に伝達されることはないのです。すなわち、情報を電気信号という記号に置き換える作業が必要で、この置き換えこそは私たちの世界認識を支えるものであり、ここでも無意識の記号学が機能しているのです。

以上、生き物の身体に内蔵されている記号学をも含めて記号学とはなにかを考えてきました。そこからわかったことの一つは記号こそは生命の証であり、これによって生き物は生き、考えているということです。ただし、人類の場合は生物が自然に行なっていることを大変な努力によって何とか実現しています。つまり、遠回りをしているのです。

この遠回りは人類が生まれ故郷である自然から遠く離れてしまったことを示すものです。その原因は科学技術の進歩によるだけではなく、デュルケームやレヴィ＝ストロースが強調したように人類が社会に依存する度合いの高い生物だからでしょう。人類の記号学は生物としての記号学からずれて、社会による記号学に大いに依存しています。そこに生物としての人類の偏向があると言えるかも知れません。

レヴィ＝ストロースの記号学についてもうひとつ付け加えておきたいことがあります。彼は記号学が科学において生かされた場合を情報科学に見ていたのです。情報科学こそは彼にとってそれまでの科学の壁を破って新たな地平をひらくものであり、そのおかげでようやく「野生の思考」すなわち人類の基本的思考が回復されると彼は見たのです。長いあいだ「未開」の思考と思われてきた思考が情報科学の出現でようやく復権する、そう見たのです。

そのことを彼は感慨を込めて以下のように記しています。

人類の知は、長いあいだ離れ離れになっていた異なる二つの道筋を持っていた。その二つが交わるには、二〇世紀の中葉まで待たねばならなかったのである。一方はコミュニケーションという迂路をとおってようやく物理世界に到達した。他方は物理世界という迂路をとおって、つい最近になってコミュニケーションにたどり着いた。かくして、人類の知の全過程がひとつにまとまることになったのである。（中略）現代の科学がその最先端でこのような知の完成を成し遂げたのだとすれば、それは科学が「野生の思考」に忠実だったことを示す。

（『野生の思考』三二一ページ引用は拙訳）

ここで彼は「野生の思考」を「コミュニケーションという迂路をとおってようやく物理世界に

到達」した知であるとし、一方の情報科学を「物理世界という迂路をとおって、コミュニケーションにたどり着」いた知ととらえ、この二つの人類の知が二〇世紀中葉にようやく交わるようになったと言っています。かくして、長いあいだ近代文明に押しつぶされてきた「野生の思考」が復権されたことになるのです。

この結論は人類の歴史にとって明るい材料を提供していますが、実際はどうでしょう。レヴィ＝ストロースはそれほどに楽観的だったでしょうか。『野生の思考』とならぶ彼の名著『悲しき熱帯』（Les tristes tropiques 1957）にはむしろ悲観的な歴史観が出ています。人類学（アントロポロジー）はエントロピー学と言い換えた方がいいだろうと言っているのです（『悲しき熱帯』四七八ページ）。エントロピー学とはエントロピーすなわち秩序の崩壊スピードを表す単位からの彼の造語です。すべての秩序は崩壊していく、人類は地上からやがて消える、そういう歴史観が彼にはあったのです（『科学と詩の架橋』第二章参照）。

7　詩歌を記号学で解く

日本の物理学者で随筆家としても有名な寺田寅彦は、俳諧連句の常連でもありました。そういうわけで、彼はいくつかの俳論を書いています。その一つ「俳句の精神」（一九三五）において、彼は以下のように言っています。

日本人は西洋人のように自然と人間とを別々に切り離して対立させるという言わば物質科学的の態度をとる代わりに、人間と自然とをいっしょにしてそれを一つの全機的な有機体と見ようとする傾向を多分にもっているように見える。少し言葉を変えて言ってみれば、西洋人は自然というものを道具か品物かのように心えているのに対して、日本人は自然を自分に親しい兄弟かあるいはむしろ自分のからだの一部のように思っているとも言われる。また別の言い方をすれば西洋人は自然を征服しようとしているが、従来の日本人は自然に同化し、順応しようとして来たとも言われなくはない。（…）この自然観の相違が一方では科学を発達させ、他方では俳句というきわめて特異な詩を発達させたとも言われなくはない。これは一見はなはだしく奇抜な対比のように聞こえるであろうが、しかし自分が以下に述べんとする諸点を正当に理解される読者にとってはこうした一見奇怪な見方が決して奇怪でないことを了解されるであろうと思われる。

（『寺田寅彦全集・二九〇作品』38900-38912/52797）

これを要するに、西洋人と日本人の自然観のちがいがそれぞれ科学と俳句を生み出したということです。この発言の大胆さは寺田自身も意識しており、それゆえ「なはだしく奇抜な対比のように聞こえるであろう」と言っています。しかし、それは「決して奇怪でない」とも念を押しているのです。

寺田がこのようにいうその真意を理解するには、これまで見てきた記号学的視点が役に立ちます。寺田は「自然観」と言っていますが、これは人間が自然をどのように記号化するかということなのです。したがって、西洋の科学は西洋人の自然記号化の成果であり、日本の俳句は日本人の自然記号化の成果ということになります。同じ記号学が、文化的伝統のちがいで異なった発展を遂げたということです。

西洋の科学は自然を数学の記号で表す方向に進みました。たとえば、ニュートンは二つの物体のあいだには引力という互いに引き合う力がはたらており、その力はそれぞれの物体の質量を掛け合わせたものを、この二つの物体のあいだの距離の二乗で割った数に比例するということを突き止め、これを$F=G \cdot m_1 m_2 / r^2$という数式で表したのです。つまり、彼は自然を数学の記号をとおして理解したのであり、他の西洋の科学者もこの方式で自然を理解してきたのです。西洋の科学は数学的記号学の発露ということになるでしょう。

一方の俳句は季語という記号を用いた記号学です。自然の風物を季節ごとに分類し、全体として調和のとれた自然観を打ち出すことに成功しています。季節の風物の代表的な事象を記号として用い、それによって季節ごとの自然を表現する。自然科学とちがって、時間の経過とともに刻々と変化する自然を表現するのです。

俳句の原点は『古今和歌集』（九〇五）という平安朝の歌集にあり、江戸時代に生まれた俳諧の世界ではそこに新しい季語を加え、古来の自然観に若干の修正を加えています。今や世界中で知られるhaiku のもとになった俳句は、こうして出来上がったのです。

さて、寺田寅彦が試みた西洋の科学と日本の俳諧の比較ですが、前者の記号は数学的記号であるから、おのおのの記号の意味は一義的に決まります。一方の後者の記号は具体的事物を記号化したものであって、それぞれが四季のいずれかの季節を暗示するだけでなく、それと関連する多くのことを喚起させます。したがって、この記号学は記号の多義性と季節的文脈とに依拠するものということができます。

このちがいは、結局のところ概念と記号のちがいに帰着します。前者はその言及性が無限で、厳密かつ一般性を持つのに対し、後者は曖昧なだけでなく、記号を使用する主体の情感や個人的経験と結びつき、固有の世界の表現となります。固有とは言っても、記号ですから他者と共有可能で、文脈を共有できるかぎりにおいてそのメッセージは一定の意味の幅をもちます。つまり、解釈の幅を有したまま他者に伝わるのです。

俳句の世界が単なる主観の吐露ではなく、西洋の科学に匹敵する自然観を提示していることを示すために、今ここで芭蕉の有名な一句を記号学的に分析してみます。なぜ芭蕉かといえば、彼の句は西洋の科学や哲学に匹敵する深みを持っているからです。有名な「古池や蛙飛び込む水の音」を分析します。

記号学では対象となる情報をまず構造的に把握する、ということはすでに述べました。構造を見つけるには対立する要素を抜き出すことが第一です。「古池や」の句では「古池」と「蛙」が対立項となっているので、そこに注意する必要があります。これで句全体の構造がはっきりします。「古池」と「蛙」の対立構造なのです。

この構造がつかめたら、今度はこの構造から各項の含意を測ることができます。それぞれの項を多義的な記号と見て、その意味を探ると以下のようになります。

まず言えるのは「古池」が古さ、動きのなさ、しかも一定の広がりを含意していることです。これを「蛙」という対立項と比較しますと、「蛙」にはいま現在の動きのあるものという意味だけでなく、「古池」の広さに比べれば一点に等しいという微小の意味があることがわかります。つまり、この句を抽象化すれば、そこに古と今、静と動、面と点の対立が見えてきます。

では、「水」は何を表すでしょう。「古池」と「蛙」の対立の結果が「水」ですから、これは対立の解消あるいは対立の超越を意味すると考えられます。一方、「水」という古語は、古語辞典を調べればその原意は「瑞々しく美しいこと」だとわかります。したがって、この語は美を暗示し、生命を暗示するものといえるのです。

さて、問題は「飛び込む」と「音」です。「飛び込む」ことがなければ、「古池」と「蛙」の対立は解消されません。「飛び込む」という積極的な行為があることで、幾つもの対立が解消あるいは超越されるのです。一方、「音」ですが、「水」が生命であり美であるなら、「音」は一連の対立の解消の残響というべきでしょう。それまでの視覚世界が超えられて聴覚の世界に入るのです。

聴覚記憶は視覚記憶より永続性があるという見解がありますが、「音」で終わる句全体が永続性を持つことになるかどうか、そこは断定できません。しかし、視覚世界から聴覚世界への展開がこの句をある次元から別次元へとひらく効果をもたらしていることは確かです。ここでの「水」は、言うなればアップグレードを表しています。

それにしても、わずか十七音節のこの句、全宇宙の概念的対立を一気に乗り越える生命讃歌と読むことができること自体、驚きではありませんか。これが哲学の命題に匹敵するものであることは間違いのないことのように思われます。

断るまでもありませんが、以上の芭蕉の句の分析は芭蕉自身が記号学を実践しているからこそ可能なことです。彼はおそらく無意識に、この記号学を実践したのにちがいありません。すぐれた芸術家はたいてい無意識に創造します。意識的に創造しようとすると、うまくいかないのです。

ところで、記号学を「未開人」に発見したレヴィ＝ストロースは『なまものと煮たもの』（Le crut et le cuit 1964）の序で以下のように言っています。

本書の目的は、「なまものと煮たもの」とか「新鮮なものと腐ったもの」とか「湿ったものと焼きあがったもの」とかの経験で得られる区分が、どのようにして概念として機能し、抽象的な命題を構成できるのかを示すことにある。言うまでもなく、これらの表現の厳密な意味は、それぞれの固有文化に即した民族学的観察によってのみ把握できるものであるから、本来は極めて具体的かつ特殊なものなのである。

（『なまものと煮たもの』一〇ページ引用は拙訳）

つまり、民族学者が個々の文化を観察し、そのなかで具体的な表現が持つ意味を吟味するという作業から浮かび上がってきたことは、それらの具体的表現が抽象概念を指示し、それらを組み合わせると哲学や論理学に見られる命題を作成できることだと言っているのです。

同じことは先の芭蕉の句についても言えるわけで、芭蕉は俳諧の約束に従って季語を用い、自然の風物を記号として用いています。これらの具象的な記号の組み合わせで、新旧の対立、動と静の対立、点と面の対立とその超克といった非常に抽象的な命題を、たとえ無意識であったにせよ生み出しているのです。レヴィ＝ストロースが『神話の論理』で言っているように、このたいへん具象的な句はきわめて抽象的な世界を暗示しているのです。

8 科学を記号学で解く

先にその生物理論を紹介したエルサッサーは、生物学者としてよりも地球物理学者として知られている人です。彼の地磁気ダイナモ理論は世界的に有名で、地質学や地震学に影響を及ぼしています。もともとはドイツの原子物理学者でしたが、ユダヤ人であったためナチスを逃れてアメリカに渡り、彼の地で地球物理学へ転向し、最後は生物学者として人生を終えました。

ちなみに、地磁気ダイナモ理論とは地球が生み出す磁力は地球中心部の熱によってその付近のマントルが対流することによって生まれるという理論で、この理論が世に出たことで地質学者や地球物理学者はたとえば地磁気の極が逆転することとか、地震の生起する仕組みだとか、新たな地質年代の発見とかできるようになったようです。

そのエルサッサーがゲッティンゲン大学で博士号を取得し、オランダに職を得たときのことです。当時のオランダにはアインシュタインの相対性理論に影響を及ぼしたというローレンツという物理学者がいて、そのローレンツの講演を聞く機会をエルサッサーは得たのです。そのときの感動を、彼は自伝『原子の時代の一物理学者の回想』（Memoires of a Physicist in the Atomic Age 1978）において以下のように述べています。長くなるので、原文を訳すかわりにその概要を記すことにします。

ローレンツの講演は電子に関するものであった。聴き始めはなんのことやらさっぱりわからなかったが、ゆったりした抑揚で語るその音調がなんとも心地よく、催眠効果さえあった。しかし、わからない話しぶりにもかかわらず、ある瞬間に忽然と電子というもののイメージが電気を帯びた小さな球体として眼前に出現した。その球体が数をなして電気の力で動きまわるイメージが浮かび上がり、そこから一種の悟りのようなものを経験したのである。ローレンツの言葉のひとつひとつはぼんやりしていたが、にもかかわらずその中からはっきりしたイメージが現れる。これに私は深く感動した。

ローレンツが黒板に簡単な数式をいくつか並べたことも覚えている。それらについて、彼は「これは単に自分の考えを数量化するためにしているのです」とだけ述べた。それを聞いていて私は、これこそ物理学の真髄だと思ったのである。数式とはそういうものなのだ、と心から納得した。

考えてもみれば、私がこの講演に最初戸惑ったのは、それまでドイツで聴いてきた講義などとまったく異質な話しの進め方だったからだ。ドイツではまず語の厳密な定義づけをし、それに基づいてある論を提示し、その論理的な帰結がどうなるかを示すのが通例である。ところが、ローレンツの話し方はほとんど論理の展開を示さず、話の核となるものを、手に取るようにはっきりと眼前に示したのである。

彼の講演を聴いていて、ふと思ったことがある。「ああ、これはレンブラントだ」と。レンブラントは事物の輪郭を明確にしない。光と影の区分が茶の中間色でぼかされ、その薄暗さのなかから少しずつ顔が浮かび上がってくる。これはまさしくローレンツが電子を語るのと同じ手法だったのだ。つまり、ローレンツの話し方はレンブラント画法の科学版ということである。

私はますますオランダが好きになった。（『原子の時代の一物理学者の回想』八九ページ引用は拙訳）

ローレンツをレンブラントと比べるなど面白いエルサッサーですが、彼がドイツ式とオランダ式を比較しているところが重要です。ドイツでは「まず語の厳密な定義づけをし、それに基づいてある論を提示し、その論理的な帰結がどうなるかを示すのが通例」であるのに、ローレンツの話し方は「論理の展開を示さず、話の核となるものを手に取るようにはっきりと眼前に提示する」仕方だというちがい、実に面白いものです。

果たして、ドイツ式とオランダ式がそのように異なるのかどうかわかりませんが、彼が科学にも二種あることを示している点に注意したいと思います。彼のいうドイツ式はすでに出来上がった概念を出発点とし、そこに解釈をふくらませることで普遍的かつ抽象的な「真理」を確保しようとします。一方、オランダ式はイメージを重視し、それが忽然として概念となる過程をできるだけ忠実に映し出そうとするのです。この二つのちがいは、概念を重視するか、イメージを重視するかのちがいであり、本章のはじめに扱ったベルクソンなら迷わず後者に軍配を上げたにちがいありません。

記号学の立場からも後者に軍配を上げるでしょう。ただし、イメージを「生きた記号」と呼び替えての話です。というのも、エルサッサーが思い浮かべたイメージはローレンツの言葉によって喚起されたものであり、それはローレンツ個人のものでありつつ、他者とも共有可能なものだからです。

ところで、エルサッサーの自伝を読むと、そこにはローレンツの講演が彼の後年の思考を決定したとまで書かれています。その講演から「科学者は自然を模倣しなくてはならない」という思想を学んだというのです（『原子の時代の一物理学者の回想』九〇ページ）。それまでの彼には「自然を模倣する」という発想はなかったようです。「芸術は自然を模倣する」とよく言われますが、科学もまたそうあるべきだとわかったというのです。

つまり、科学と芸術は異なった形ではあっても「自然を模倣する」ということで一致する。ローレンツの話を聞いたエルサッサーはそう確信したのです。自然を模倣して物理学は展開する。レンブラントは同じ自然を絵画という形で模倣した。そういうことなのです。

では、このようなエルサッサーの科学観を記号学的にいえばどうなるのか。「模倣」という言葉の代わりに「翻訳」あるいは「置換」という言葉を用いると話が分かりやすくなるでしょう。なんとなれば、「模倣」とはある事象を写しとることですが、「写す」とは「移す」であり、ある記号システムの要素を別の記号システムの要素に移し換えることだからです。

レヴィ＝ストロースがトーテミズムを動物種を用いた記号システムを社会集団の記号システムに置き換えたものだと説明したことを思い出しましょう。渡り鳥が地磁気の体感を視覚記号に置き換えて一種の地図をイメージして飛ぶことを思い出しましょう。科学とは、また芸術とは、「模倣」という名の下に自然をそれぞれの記号システムに翻訳する営為だとわかりますし、それだけでなく、これが自然が私たちに与えた自然理解の道なのだということもわかるのです。

ところで、以前に科学は数式という記号を用い、その記号は一義的なものだと述べましたが、エルサッサーの描くローレンツはその意味の科学から逸脱して見えます。ローレンツも数式は用いるのですが、それはあくまで思考を数量化して表現するためであって、数式が彼の思考を表現しているわけではないのです。

私たちは科学者というものが自然を数量化するために数式を用いることを知っていますが、科学者がどういう意識で数式を用いるのかということについてはよく知りません。しかし、エルサッサーの言っていることからすると、多くの科学者において数式と思考はローレンツのように把握されておらず、自分がどうして数式を使うのかを意識している科学者がそう多くはないように思えてきます。数式という概念化された記号を操作する代わりに、そうした記号に操作されている科学者が案外に多いのかも知れません。

エルサッサー、あるいはローレンツを見てもわかるように、まず自然があって、そこから学ぶことが科学だという考え方が重要です。数式と概念で頭をいっぱいにした科学者には、もはや自然は見えないでしょう。数式も記号にはちがいないし、概念も記号化の成果ではありますが、その大元にある自然との直接の出会いによって生まれる生き生きとした記号の世界を、どうやら多くの科学者は見失ってしまっているように思われます。

同じことは詩人にも言えるでしょう。言葉の操作に没頭する詩人は自然を見る機会はなく、言葉に翻弄されてしまいます。芭蕉の言った「松の事は松に習へ」を忘れてはならないのです。

第三章　死をもたらす言語

本章では言語が人類にとって命とりになることを述べたいと思います。そのためにまず言語の持つ威力を考察し、その威力の背後に潜む危険な点を考えてみます。それが済んだら、私たちは言語なしに生きることはできないのですから、どのように言語を用いればよいかを考えます。

1　言語の恐ろしい力

言語の危険性といっても、多くの人にはピンとこないでしょう。言語が危険であるということに気づいていない人がほとんどだと思います。人は言語を当たり前のように使っていますし、それで多くのことが進められているので、特に問題はないと思っているのです。

言語が重要であるということは多くの人が知っています。学校でも言語学習が最重要視されていますし、言語がまともに使えなければ社会でやっていくことができません。他人とのいい関係を築くことができるか否か、これが言語能力にかかっている場合は多々あります。それに、言語に習熟していなくては仕事にもつけません。本を読んだり、メールを送ったりすることもできません。言語の重要性は誰もが知っているはずです。

しかしながら、言語の威力となると、多くの人は考えていません。言語についての専門家でないと、言語がどのような力をもっているのか思っても見ないのです。まして、言語がその威力ゆえに危険なものとなることもあるなどとは、誰も考えません。こういう筆者にしてからが、動物言語学者の岡ノ谷一夫に会ったとき、「人類は言語によって人類になったんですが、言語によって絶滅するかも知れませんね」と言われてショックでした。

ところで、この岡ノ谷ですが、鳥のさえずりが人類の言語の淵源ではないかという説を立てています。彼によれば、鳥のさえずりには一種の文法と語彙があり、それは親から子へと教育しなくては習得されず、しかもその習得は単なるオウム返しではなく、それぞれが創意工夫を凝らして生み出した独自性をもっているというのです。なるほど、そうならば、これは立派な言語です。それゆえ、岡ノ谷はこれを人類の言語の起源であろうというのです（『小鳥の歌からヒトの言葉へ』二〇〇三）。

しかしながら、鳥のさえずりに限らず、クジラやイルカの歌声にしても、これを人類の言語と比べるとなにかが異なります。そのなにかが、ここでいう言語の威力に関わるのです。

その威力はおそらく文化形成力という言葉で表せるでしょう。あるいは文明形成力というべきかもしれません。蜂の巣がいくら美しい形にできているとしても、これを文化とは言えません。同様に、動物たちが構築するコミュニケーションの仕方がいくら言語に似ていても、それは彼らが環境に適応して生きていくためのものであって、それ以上ではないのです。

彼らの歌やさえずりは、仲間どうしでこれを享受し合うことはあっても、これを伝承化して文化として歴史のなかに永続させようという意思が見られません。逆に、人類の言語には、意図的にこれを伝承し、文化としてそれを継続させようとする意思が見られるのです。そうです、文化的＝歴史的営為なるものは、ひとえに言語をもつことによって可能となった。このことが言語の威力の最たるものです。

もう少し言えば、人類以外の動物は、自ら創造したものを意識的に定着させることがなく、それによって自らの生の領域外へと旅立つことがありません。文化を形成する人類とのちがいはまさにそこにあり、言語はしたがって、私たち自らの生の領域外へと旅立たせる力をもっているといえるのです。

無論、このように筆者が言い切るのは、現時点での生物学ではまだ動物たちにも言語があると証明されていないからです。半世紀後には「動物も実は数学をしている」「鳥のさえずりには物語があり、そこには希望や悲嘆も表現されている」「ミツバチの巣は実用目的とともに美的な目的ももっている」などといったことが証明されるかもしれません。しかし、今のところは人類のみが言語を持ち、人類のみが言語によって自らの生の領域外へ旅立つことができると言ってよいでしょう。

自己の生の領域外に旅するとはどういうことか。その具体例として、人類が月面に着陸したことを挙げましょうか。人類以外の生物で、そうしたことを実現している例はひとつも見つかりません。やはり、人類は特殊な生き物のようです。

人類の特異性は、そうです、言語をもったことで日常の現実世界を超えてしまったことにあります。しかも、言語によって日常の現実を超えてしまうということは、数学や科学だけでなく、文学についても言えることなのです。一見どんなに現実に密着して見えようとも、人類の文化は抽象的な非現実へと向かっていく。そして、その非現実を私たちは「真理」とか「普遍性」と呼び、それを共同で幻想することによって文明を成り立たせているのです。

そういうわけですから、言語がもたらす創造性を賛美したくなる人の気持ちはわかります。なるほど人類は言語を得ることによって狭い現実を超えることができ、その結果、他の生物に対して圧倒的優位を獲得するようになったのです。人類は言語の力で現実世界を超えることができたればこそ、宗教を創造し、宇宙を考え、素粒子、脳神経細胞、遺伝子を考え、さらには自分たちの社会のあり方や過去の歴史を考えるようになった。しかも、その考えたところを眼に見える形にまでするようになったのです。長い生物史において、これは「奇跡」とも呼べることではないでしょうか。

以上を要するに、言語の力は思考力、想像力、創造力の増大を人類にもたらしたということになります。

ところで、言語をコミュニケーション手段と思っている人がいます。間違いとは言えないにせよ、それが言語の威力になっているとは言いかねます。なぜなら、言語はコミュニケーション手段としては必ずしも優れていない。これは他の動物たちのコミュニケーションの仕方と比べればわかることです。

サン＝テグジュペリの『星の王子さま』（Le Petit Prince 1943）に出てくるキツネが言っているように、「言葉は誤解の源」です。このことを忘れて言語の囚人となった場合、とんでもない結果がもたらされます。アメリカのテレビ・ドラマ『ファーゴ』に、老保安官の次のような台詞があります。その保安官は「争い、戦争…みんなこれ言語のせいじゃないのかね」と言っているのです。

この保安官は若い頃ベトナム戦争に行き、そこで人類の悲惨を見ました。彼の思考過程ははっきりとはわかりませんが、実体験から言語が暴力の元だと見るようになったのです。

比較脳科学の専門家のデハエネらによれば、成熟したチンパンジーの脳の大きさはヒトの二歳児の脳の大きさと同じくらいですが、言語を習得したヒトの幼児の脳は、チンパンジーの成熟した脳の数倍の大きさに達するといいます（『サルの脳からヒトの脳へ』二〇〇五）。脳が大きくなるとは脳神経細胞が増大するということですから、それとともに思考力が増大すると考えられます。言語習得はあきらかに思考力とその範囲を拡大するのです。

言語による思考の創造性をこの上なく賛美する人として、世界的に著名な言語学者チョムスキーがいます。彼は『デカルト派言語学』（*Cartesian Linguistics* 1966）において以下のように言っています。

人類は人類だけの特別な能力を持っている。それは独自の知的な構築能力であり、いかなる周縁器官によるものでもなく、ただ言語の日常使用の持つ「創造的な面」としか呼べないものに現れ出るのである。

（『デカルト派言語学』六〇ページ　引用は拙訳）

つまり、言語使用に見られる「創造的な面」を思考の本質と考え、そこが人類と他の動物とのちがいだというのです。

では、そこでの創造性は何を意味するのかというと、チョムスキーはそれを論理構築力と合理的思考に限定しています。彼のいう創造性はもっぱらそれに限られ、それ以外の局面では人類に創造性はないのか、言語の威力は論理の構築にしか表れないのか、と疑問符を打ちたくなります。

彼の別の著書『統辞構造論』（一九五七）にも同様の見解が見られます。以下の引用が示すように、彼の言語観は極度に合理主義的であり、私たちの常識からすれば、首を傾げたくなります。

「文法的」ということは、必ずしも「意味がある」とか「意味をなす」と同じではない。以下の例はどちらも無意味な文であるが、英語を話すどんな人も、文例（1）は文法的には正しいと見、文例（2）は文法的にもおかしいと見るのである。

（1）Colorless green ideas sleep furiously

（無色の　緑の　考えが　眠っている　怒り狂って）

（2）Furiously ideas sleep green colorless

（怒り狂って　考えが　眠る　緑で　色もなく）

（『統辞構造論』一四ページ　引用は拙訳）

このチョムスキーの主張からすると、文例（1）は文法的には正しいが意味をなさない、文例（2）は文法的に間違っているだけでなく、何らの意味もなさない、ということになります。文学者にかぎらず一般常識のある人であれば、（1）と（2）いずれの文例も多少変ではあるけれども、なにかしら意味がありそうだと思うのではないでしょうか。

しかも、文法的に見て（2）は必ずしも誤りとはいえないでしょう。なんとなれば、この文も（1）と同様に主語Sと動詞Vから成っており、これはS＋Vであり、基本文型のひとつだからです。

（2）の場合は、形容詞が自動詞のあとに来るのはおかしいと思う人もあろうけれど、この種の文例は存在します。その場合、形容詞は述語を修飾する副詞の代わりをするか、あるいは主語の容態あるいは動詞の結果を表すのです。たとえば、英語では「気が狂う」を go mad と言いますが、この場合は「行く」という自動詞に「気の狂った」という形容詞が来ているのです。

チョムスキーにすれば、「無色」と「緑」が相容れるはずがないし、「考え」に色はなく、「考え」が「眠る」こともあり得ないとなるでしょう。彼が一歩譲って上記の二つの文は「文学」という例外的範疇のなかでは成り立つと言ったとしても、その主張が正しいということにはなりません。なぜなら、文学的な言語が言語の中で本当に特殊なのかどうか、確かではないからです。

チョムスキーは論理的言語を言語の常なる姿と考えているかもしれませんが、そう簡単には決められません。文学的言語こそが言語の常態であり、論理的言語はむしろ特殊なケースなのだという見方も十分に成り立つからです。どう見ても、チョムスキーの言語観は偏っていると思われます。

私たちの日常言語はメタファーで溢れています。「もうひと花咲かせたいな」というメタファーを用いたとて、詩人であるとは限りません。そのようなメタファー言語をチョムスキーは少しも考慮していません。認知科学者のレイコフも言うように、チョムスキーは言語のメタファー性を見落としているのです（『メタファーで生きる私たち』一九五一―二〇五ページ）。

レイコフは必ずしも文学言語を言語の中心と考えているわけではありません。彼にとって言語はもともと隠喩的なものであり、人間の思考はメタファー思考なのです。その立場は彼の友人ターナーによって補強され、文学言語も科学言語もすべからくメタファー言語であって、それらは人類が構築した世界観の表現形式だという論になっています（『文学する心』一九九六）。レイコフ＝ターナーの説が絶対というわけではないにしろ、彼らがチョムスキーの言語観に同調していない点には同調できます。

チョムスキーの言語観は精神分析の立場からも批判されるでしょう。フロイトの夢の理論を知る者は、無意識の世界に入り込んだ言語は「文法」規則に必ずしも従わず、論理を逸脱することを知っているはずです（『夢の解釈』一九〇〇）。チョムスキーの言語観は言語の表層しか見ていないという批判が精神分析家たちから立ち上がったとしても、少しもおかしくありません。

チョムスキーの言語観が偏っていることは、たとえば芭蕉の句「海くれて鴨の声ほのかに白し」に彼の論を当てはめてみればわかることです。チョムスキーならこの句を見て、「海」が「暮れる」は文法的には正しいが無意味な表現だと言うでしょう。「鴨の声」が「白」はあり得ないと判断するでしょう。

このことは、彼には文学のセンスがないというよりも、言語の本質がわかっていないということを意味します。言語学者なのに言語の本質がわかっていないとすれば、深刻な事態です。チョムスキーが世界の言語学者の中で最も重要な地位を占めているとすれば、なおさら深刻です。

芭蕉の句は言語以前の認知の言語化であり、そこに空前絶後の言語表現が見出されるのです。これこそは言語の本質に触れるものではないでしょうか。この句は「文学」でありつつ「文学」を超えている。言語の表層を突き破って、その深層を垣間見せてくれているのです。チョムスキーにはこの言語の深層まで見る眼力が欠けています。そのくせ言語の「深層構造」（deep structure）などという語を用いるのですから、困ったものです。

さらに言えば、言語が思考に創造力すなわち自由をもたらすという彼の考え方自体、問題があります。言語は人間本来の叡智である直観を鈍くするという可能性も十分あるからです。前章で取り上げたベルクソンは、「思考は言語に置き換えられない」と言っています（『意識に直接与えられるものについての試論』一二四ページ）。この哲学者にとって「思考」とは直観にほかならず、言語は直観を殺すものだったのです。

では、ベルクソンは神秘主義者だったのか。そう片づけるわけにはいきません。脳科学の成果を取り入れて哲学するビックルは、神秘体験などとは関係なく、似たような結論にたどりついているのです。

ビックルによれば、人の脳が判断と行動命令を下す過程は、同じ脳がそれを言葉に翻訳して自らに命ずるより短い時間で済み、人が言語を通して把握する自己は、現実から乖離したある種の虚構であるということになります。言語によって捉えられる「私」というのは「拵えもの」（confabulation）であって、これを現実だと思い込むのは危険だとまで彼は言います（『語りと意識』二〇四ページ）。言語には確かに現実を超える威力はあるけれども、その現実を超えることが現実を見誤らせる可能性もあることを指摘しているのです。

先に言語は私たちの生の領域を超えると述べましたが、ビックルの論をこれに応用すれば、思考が言語によって生の領域を越えるかぎりにおいて、言語は私たちを妄想へ導く危険性があることになります。私たちが言語に信を置いて、何であれその示すものを真実だと思い込むならば、

郵便はがき

料金受取人払郵便

福岡中央局
承認

59

差出有効期間
2024年6月
30日まで

(切手不要)

810-8790

156

福岡市中央区大名
二一二一四三
ELK大名ビル三〇一

弦書房

読者サービス係 行

通信欄

年　　月　　日

このはがきを、小社への通信あるいは小社刊行物の注文にご利用下さい。より早くより確実に入手できます。

お名前

（　　歳）

ご住所

〒

電話	ご職業

お求めになった本のタイトル

ご希望のテーマ・企画

●購入申込書

※直接ご注文（直送）の場合、現品到着後、お振込みください。
送料無料（ただし、1000円未満の場合は送料250円を申し受けます）

書名		冊
書名		冊
書名		冊

※ご注文は下記へFAX、電話、メールでも承っています。

弦書房

〒810-0041 福岡市中央区大名2-2-43-301
電話 092(726)9885　FAX 092(726)9886
URL http://genshobo.com/ E-mail books@genshobo.com

私たちの思考は言語という監獄に収監されてしまうでしょう。

言語は日本語ではコトの「葉」といいます。決してコトの「根」でも「幹」でもないのです。それをコトの「根」だと思ってしまえば、危険な過ちを犯すことになるのです。

2 科学文明の言語

ひとことで言語といっても、大きく二種に分けられます。生に密着した感情の言語と、生から離れた理知の言語です。大雑把にいえば前者は歌を、後者は数学や科学を生み出してきたと言えるでしょう。

人類は古くからこの二つを同時に育ててきたと思われます。そこには一定のバランスがあったと言ってもよいと思います。ところが近代になって、そのバランスが崩れます。文明の中心が科学となり、詩歌でなく、科学が人間の知性を支配するようになったからです。

近代とは文学よりも科学の言語を優先する時代です。生に密着した感情の言語が、生から離れた理知の言語によって抑圧される事態となりました。このことは文学史を見ればよくわかります。近代文学とそれ以前の文学とのちがいは、前者が後者にはない手法、すなわちリアリズムを導入したことにあるのです。日本ではそれを「写実」と呼んだのですが、表現者はこれを基準に物ごとを表現するようになり、否、表現する代わりに描写あるいは記述することになったのです。

この新たな事態は間ちがいなく近代科学がもたらしたものです。近代文学とは、その創造者たちがどのように思おうと科学的思考の産物であり、それへの抵抗として生まれたロマン主義や象徴主義をも含めて、科学に追従する、あるいは科学を前提とするものなのです。

近代において理知の言語が感情の言語を圧迫し、それを押しつぶす傾向があることを早々と察知し、そこに危険を見いだしたのはルソーです。彼の『言語起源論』（*Essai sur l'origine des langues* 1781）は、人類は話す以前に「歌」っていた、「歌」こそが最初の言語であり、その表現は「隠喩」（メタファー）であったと主張するものです。感情の隠喩的表現がまずあって、理知の表現はその後から生まれたというのです。

はっきり言えることとは、生まれたての言語は人間の原初の必要から生まれたものではないということである。人間の必要というものは人間どうしを分かつものであるのに、どうしてそれが人間どうしを結びつけるものになり得るだろう。言語というものは精神的な欲求、すなわち情念（passions）から生まれ出たものなのである。（…）飢えや渇きが言語を生んだのではない、愛する気持ち、憎しみ、憐れみ、怒りといったものが人間に最初の言葉を産ませたのである。

（『言語起源論』一一ページ 引用は拙訳）

このように主張するルソーは、言語の起源を「歌」とし、「情念」こそは人間精神の根源的なものと見ています。またそこでの言語はメタファー言語だったともいうのです。先のチョムスキーがモデルとしたデカルト派の合理主義的言語観と真っ向から対立するものがここにはあります。

ルソーは『人間不平等起源論』(*Discours sur l'origine et les fondements de l'inegalité parmi les hommes* 1755) ではっきり示したように、人類の原始状態を平等と見ていました。自然状態に近ければ近いほど人類は幸福であったと見たのです。そのような観点から、彼はメタファーに満ちた歌を幸福な言語ととらえ、それが文明化によって失われ、論理中心の言語によって置き換えられていくことを不幸とみなしました。

すなわち、一概念に一単語が対応するような言語は権力の支配を強めるのには便利であっても、自然なものではないと彼は見た。隠喩すなわちメタファー言語は概念言語よりはるかに自然で、より人類にふさわしいと見たのです。有名になった彼の「自然に還れ」(Retour à l'état de nature) は、「メタファーに還れ」と置き換えてもよかったのです。

法律言語が概念言語の端的な例だと見たルソーの一八世紀は、それでもまだ科学文明の全盛期ではありませんでした。これが一九世紀ともなれば、数学の言語、科学の言語といった法律の言語以上に厳密な概念言語が力を持つようになり、ルソーが生きていたら激しい嫌悪を覚えただろうと推察されます。一九世紀以降の世界は科学の言語を否応なく受け入れざるを得ず、しかも社会はそれを他のどのような言語よりも信用するようになりました。そういう時代にあっては、ルソーの言語論は実証をともなわない夢物語とされるほかなかったのです。

ところが、二〇世紀になると状況が少し変ります。科学文明の闇の部分が次第に明らかになってきたからでしょう。たとえば、第一次世界大戦で使われた毒ガス兵器などが、その闇の部分として浮かび上がってきました。

ルソーの言語論を擁護して有名になった例としては、一九〇八年生まれのレヴィ＝ストロースを挙げることができます。この世界的に有名な人類学者は、それまで忘れられていたルソーの見解を科学的な立場から擁護したのです。彼の主著『野生の思考』（*La pensée sauvage* 1962）は、「未開人」の思惟が具体的な言語に支えられ、しかも隠喩的であることを示し、同時にその思惟が人類の思考の基礎をなしていることを示したものですが、これはつまり、「未開社会」の思惟を調べることからルソーの言語論の正当性を再発見したということになります。ちなみに、レヴィ＝ストロース自身、ルソーには大いに啓発されたことを告げており（『悲しき熱帯』四五一ページ）、彼には、「人類学の創始者ジャン＝ジャック・ルソー」（Jean-Jacques Rousseau, fondateur des sciences de l'homme 1962）という論文があります。

とはいえ、レヴィ＝ストロースにはルソーの情念擁護の思想への言及はありません。彼が擁護する「未開人」は理知の人であって、情念の人として捉えられてはいないのです。人間における情念の問題はルソーの思想の根幹に関わるものですが、レヴィ＝ストロースはこれについてあえて論じず、ルソーの言語観のメタファー重視の方に関心を寄せています。これは一体、どうしてなのでしょう。

おそらく、戦略的なものです。西欧世界は理知を重んじ、感情をその下位に置く傾向がありま す。チョムスキーの言語観にもそれがあります。したがって、そういう文化状況の中で感情重視を打ち出すのは、初めから拒否される可能性があるのです。レヴィ＝ストロースは用心深く、できるだけ「科学的」な装いでルソーを弁護しようとしました。それゆえ、メタファー思考の擁護という形をとったのだと思われます。

レヴィ＝ストロースのメタファー思考擁護は現代の認知科学者ターナーに受け継がれています。ターナーは隠喩的思考を詩歌のみならず科学の根底にもあるものとみなし、その主著『文学する心』においてそれを主張しています（一九六ページ）。私たちの認識には物語構造が備わっており、その物語は私たちの身体活動の投影の産物であるがゆえに隠喩的だ、というテーゼです。

ターナー自身が出している例ではないのですが、たとえば「電車が走る」という表現がありま す。誰もそこに隠喩が潜んでいるとは思わないでしょうが、この表現は私たちの身体運動である「走る」を機械である「電車」に投影したものであり、「電車」は私たちの身体の隠喩となっているのです。ターナーによれば人類の認識はすべてかくの如くで、私たちは世界を私たちの身体行動を投影して構築しているのです。考えれば考えるほど、そうかもしれないと思えてきます。

人類の思惟が基本的に隠喩的であるという説は現代の脳科学者も支持しています。『第二の自然』（Second Nature 2006）の著者エデルマンは以下のように言っています。

脳は選別的なシステムであって、論理によってはたらくのではなく、パターン認識によってはたらく。この認識は論理や数学のような正確さは欠けるが、広域をカバーすることを目指すものなのだ。そういうわけで、人類はまずメタファーで思考し、数理を学んだ大人においてもそれが思考の中心となる。だからこそ、想像力や創造力を発揮できるのである。

人間の脳がありとあらゆる多様な事象を結びつけてメタファーを作り出すことができるのは、脳に「情報再入力変性システム」(reentrant degenerative system)があるからである。メタファーは喚起力を持つとはいえ、検証ということができない性質のものだが、思考の強力な出発点であることに変わりはなく、それが論理を得て大きな思想に発展することも十分あるのだ。繰り返すが、こうしたメタファー力は、脳がパターン選別をするシステムであることによる。

(『第二の自然』五八－五九ページ)

エデルマンがいう「選択システム」とは、脳が感覚器官を経て受けとる膨大かつ多様な情報を選別し分類する機能を意味します。これを彼は「パターン認識」とも言っていますが、脳が情報間の一定の類似性を探知し、それをパターンとして認知し記憶することを言っているのです。

このパターン化は類似性を基礎にしていますから、そこにはメタファー思考がはたらいていると彼は見ます。彼のいう「メタファー」とは類似性による複数の事象の関連づけを意味するのであって、決して詩歌のレトリックを言っているのではありません。

では、どのようにして人類の脳はメタファー思考を機能させるのか? 「再入力変性システム」がそれを可能にする、とエデルマンはいいます。では、「再入力変性システム」とはなにかといえば、脳は入力した情報を脳のあちこちの部分で共有するために何度も同じ情報を発信し、「再入力」(reentry) を繰り返す。その再入力のたびに脳の各部のはたらきが変化し、そのおかげで情報が徐々に統一され、一貫性ある世界像がしまいに出来上がるというのです。

再入力のたびに脳の各部のはたらきが変化するといいましたが、エデルマンによれば、脳の各部が本来の機能を失って変質することによって、初めはバラバラであった情報が徐々に統合され、ひとつの世界像が現れ出てくるというのです。脳科学ではこの脳の各部の変質を「変性」(degeneracy) と呼ぶようです。

上記のことをわかりやすくするために、エデルマンは見事なメタファーを用いています。

脳の再入力作業を説明するのにわかりやすいイメージを示そう。ここにわがままな四人の音楽家が集まり、弦楽四重奏をすると仮定する。それぞれが勝手なメロディーを、勝手なテンポで弾く。ただし、彼ら全員の身体は、相互に非常に細い糸で結ばれている。それによって、一人の身体の動きがすぐにも他の三人の身体に伝わる。すると、しばらくのあいだ彼らの演奏にはなんら調和も統一性もなかったのに、不思議にも、次第に調和的に、統一的になっていくのである。ジャズの即興にはこうしたことがよく起こるが、もちろん、彼らの場合は見えない糸などない。

（『第二の自然』三〇ページ）

つまり、私たちの脳はそれぞれの部局が勝手に動いているのに、「再入力システム」によって

それぞれの部局が「変性」し、外部からの情報を調和と秩序をもった世界像に結実させるという

のです。

この説明は、私たちの思考がもつ創造性の説明にもなると思われます。脳には中枢がなく、各部が勝手に動きながら、相互に協調し合って意識を作り上げていく。そこに創造性があるのです。しかも、そこにはまだ言語が介入していません。となれば、「私たちは言語によって創造力を獲得する」というチョムスキーの論は、やはり現実に即していないことになります。

言語獲得によって私たちの論理的思考が発達することは間違いないでしょう。チョムスキーはその意味では正しいのです。しかし、そうであってもエデルマンは言語を言語以前のメタファー思考を補強するだけのものと見ており、人類はまずメタファーで思考し、数理を学んだ大人においてもそれが思考の中心となりつづけている、と見ているのです。

想像力や創造力は言語によるのではなく言語以前からあり、それが言語という翼を得て飛翔することができるようになるというこの説、納得できるのではないでしょうか。

もっとも、これはエデルマンが見過ごしている点ですが、数理的思考を発達させる力がある言

語は、思考の出発点であったメタファーの具体性から離れ、これを否定する傾向をもつはずです。数理的思考を発達させた言語は、その源泉であったメタファー思考を抑圧し、自らの首を絞める事態が起こり得るのです。事実、現代文明においてはそれが起こっているように思われます。エデルマンは楽観的に過ぎるのではないでしょうか。

その点では、同じ脳科学者でもダマシオのほうが鋭角的に科学文明に警鐘を鳴らしているように見えます。『意識と自己』(*The Feeling of What Happens* 1994)において、意識を「情動」(emotion)が感情(feeling)へとアップグレードされる時に生まれるものと主張し、人類の思考における感情の優位を主張しているのです。『スピノザを求めて』(*Looking for Spinoza* 2004)という著書があるように、彼はルソーよりはスピノザを重視していますが、情動と感情を人間精神の根幹に据えた点ではルソーの後継者です。

意識の問題を論じるのに生物学でいう「情動」(emotion)の話をするのはおかしいのではないかと思う人もいるだろう。(…)たしかに、情動は生体が生き延びるための自動的な装置であるに違いない。しかし、情動を意識できる能力を持つ生物は、言い換えれば「感情」(feeling)をもつ動物は、情動が意識に影響を与えつづけるので、その影響を制御する必要が出てくるのである。その制御は、自らが感情を持っているのだと知ることで実現する。意識がなければ、感情は認知されないのだ。情動は外部のものが生体に与える刺激によって生まれるが、意識が働くと、それが変質して第二の情動、すなわち感情となる。そして、その感情が意識されると、今度は思考が働きだすのである。

（『意識と自己』五六ページ、引用は拙訳）

ダマシオにおいては「情動」と「感情」の区別がとくに重要です。彼のいう「情動」は生物一般に共有されるものであり、環境が何らかの情報を発するときに身体に生じる変化を意味します。たとえば、天敵に出会った動物は身体的に反応し、恐怖ですくみますが、これは「情動」のはたらきによるものです。

この「情動」が「感情」へとアップグレードされるには、脳すなわち意識を生み出す器官が発達していなくてはならないとダマシオは言います。高度に意識の発達した生物のみが自らの情動に気づき、これを意識化することで感情を持つに至るというのです。なるほど、感情を持つに至らなければ人類は人類となれない。社会生活も、豊かな個人生活もおくることができない。「情動」から「感情」へのアップグレードは、人類が人類となるために必須なものなのです。

ところで、ダマシオのこの論は、一八世紀日本の本居宣長の「もののあはれ」論を思い出させます。宣長は情動を意識し、それを感情として認知することを「もののあはれをしる」と表現しています。ルソーとほぼ同時代のこの日本人は、ルソーと同じように感情擁護の立場をとり、理屈に過ぎる漢語を嫌い、感情の宿ったやまとことばを尊びました。散文の言語より韻律ある歌の言語を守ろうとした点でも、ルソーと共通します。

すべて世の中に生きとし生けるものはみな情あり。情あれば物に触れて必ず思ふことあり。このゆへに生きとし生けるものみな歌ある也。その中にも人はことに萬のものよりすぐれて心もあきらかなれば、思ふことも繁く深し。そのうへ人は禽獣よりもことわざのしげきものにて、事にふるゝ事おほければ、いよいよ思ふ事おほき也。されば人は歌なくてかなはぬことはり也。その思ふ事のしげく深きはなにゆへぞといへば、物のあはれをしる故也。事わざしげきものなれば、その事にふるゝごとに情はうごきてしづかならず。うごくとは、あるときは嬉しくあるときは悲しく、又はらだたしく、又はよろこばしく、或は楽しくおもしろく、或はおそろしくうれはしく、或はうつくしくにくましく或はこひしく或はいとはしく、さまざまに思ふ事のある是即もののあはれをしる故に動く也。しる故に動くとは、たとへば、うれしかるべき事にあひて、うれしく思ふは、そのうれしかるべき事の心をわきまへしる故にうれしき也。

（『宣長全集・二』九九ページ）

これは宣長の「石上私淑言」（一七六三?）からの引用です。「もののあはれ」の説としてきわめて明瞭で、人間が己れの感情を認識できるのは生物としての「情」を持っており、それゆえ事に触れて心に思いが生じ、その思いを表現せずにいられないがゆえに「歌」を詠むのだと述べているのです。この論は単なる文学論ではなく認知心理学的洞察を含むものであり、そこにダマシオの脳科学理論の先駆を見ることができます。

右の引用で、宣長が人が物事に感動するのは「もののあはれをしる」からだと言っているところにはとくに注意したいと思います。物事に感動するから「もののあはれ」を知るのではなく、その逆だと言っているのです。「もののあはれをしる」とは情動を意識するということで、この意識がなければ私たちは感情を持たぬ獣に過ぎない。情動を意識することで感情に目覚め、そこから人らしさが生まれるというのです。ダマシオの説との近似は明らかです。

以上、ルソーからレヴィ＝ストロース、ダマシオに本居宣長と見てきましたが、彼らに共通するのは、合理主義的にして概念的な言語が横行すると人類の根底にあるメタファー言語が危険にさらされ、同時に感情表現も抑圧されてしまうという洞察です。近代文明は間ちがいなく科学の文明です。そこでは理知と概念の言語が支配的なものとなり、メタファー言語とそれに付随する感情の言語が抑圧されます。ルソーや宣長の主張はこのような文明の趨勢に対する批判であり、その有効性は今も失われていません。

3　現代世界の言語

前出のレヴィ＝ストロースは『野生の思考』の最初の章で、近代科学と「未開人」の科学を比較しています。そして、前者の言語は一義的で普遍的な記号で構成されているが、後者の言語は隠喩（＝メタファー）的であり、多義的な記号で構成されていると言っています。これを言語のレベルに移して言えば、近代科学が概念的言語に依っているのに対して、「未開人」の科学は隠喩的言語に依っているということになります。人類の思考の基層にあるのは「未開人」の思考ですから、詩的言語こそ人類の基本言語ということになるのです。

同様の見方は、発達心理学の大家ピアジェにも見つかります（『知能の心理学』一九四七）。ピアジェの場合は、幼児が言語によって論理性を獲得するまでは身体感覚で外界を把握するのが常であり、この身体的把握は一生を通じて人間の思考のベースになっているというのです。そうなると、私たちの言語には抽象的な言語だけでなく、その背後に具体的な身体感覚に即した言語が横たわっていることになります。

前出の脳科学者エデルマンも含めて考えると、私たちにとって必要なのは科学の言語を捨てて詩的言語に戻るか、この二つのバランスをとるかのどちらかということになります。科学の言語を捨てることは今さら不可能でしょうから、二つの言語のバランスをとることが求められると思います。そのバランスが崩れれば、精神は危機に見舞われ、私たちの思考は言語の監獄に収監されることになるでしょう。

こうした観点から私たちの生きる現代世界をみれば、私たちの精神がきわめて危険な状況にあることがわかります。なにごともデジタル化され、人工知能が人知の代行をすることで思考の自由が縮小されつつあるのです。デジタル化とは数値化のことであり、科学文明はその完成を目指すものです。そして、その野心が徹底して全世界にゆきわたれば、数理の概念言語が私たちの精神を支配し、隠喩的言語の活動領域はなくなってしまうでしょう。

断っておきますが、この忌まわしい事態は科学者だけの責任ではありません。これは全人類の責任です。文学の徒も、そうでない者も、自らの生活の基礎になっている言語がどういう性質のものかをしっかりつかんでおく必要があります。

これを言い換えれば、人類は自らの原点であるアナログ思考を再評価しなくてはならないということです。アナログとは類似性のことであり、物事のあいだに類似性を見つけるのは隠喩的思考のはたらきです。アナログは詩的思考であり、それなくして人類は本当の生を生きられない。いつの時代にも増して、今こそこのことを自覚すべきでしょう。

ところで、数理の言語が詩的言語を圧迫するという問題と並行して、もうひとつ現代文明には問題があります。意味不明の語彙の氾濫がそれです。科学を知らない一般人は、否応なく意味不明の専門用語を耳にし、これらに馴らされて疑問をもたずにいますが、言語が私たちの現実感覚から大きく離れ、意味もわからずにそれが多用されるとき、私たちの思考は麻痺すること必定なのです。

専門用語は専門家でないと理解しがたいものです。同じ科学者でも、少し異なった領域の研究者の言語を理解できないといいます。科学用語にかぎらず、哲学用語にしても、社会科学用語にしても、コンピューター技術用語にしても同様です。私たちを取り巻く言語環境はきわめて不透明な状況にあるのです。

しかも、その状況はそうした言語を発信しつづけるインターネット・メディアの力で増幅され、世界中に同時的に広がっています。コロナ・ウィルスだけがウィルスではないのです。この状態が常態化すれば、誰もこれを疑問視しなくなります。かくして、思考停止という病が地球規模で蔓延することになります。

そうしたなかで日本はというと、事態はさらに複雑です。学術用語の大半が外来語であり翻訳語であることから、元の意味などわからずに使用される語の数がやたらに多いのです。使う人はおそらくこういう意味だろうと勝手に推測して使用し、それを聞く人も勝手にその意味を推測する。これが明治以来ずっと続いているのです。

問題の根源はやはり近代科学とそれに伴う技術の発展にあります。近代科学がそれ以前の科学とちがうのは、ひとつには自然界を数式で表現することにあるといわれます。そのことが近代文明の言語に大きく関わってくるのです。

これについては近代科学の問題を代数の濫用に特定したシモーヌ・ヴェイユの発言が注目されます。彼女の『重力と恩寵』（*La pensanteur et la grâce* 1947）に、現代文明の診断として次の言葉が見つかるのです。

お金、機械主義、代数。この三つが私たちの文明の怪物です。この三つには完全な相似が見られる。

（『重力と恩寵』一七三ページ　引用は拙訳）

ここで彼女が「代数」（algèbre）と言っているのは、思考する代わりに公式に数値を代入するだけで問題解決をしてしまう近現代人の知的習性のことだといってよいでしょう。それを科学に導入したのがデカルトで、デカルトによって近代科学の基礎ができたのだから、近代科学は思考停止をもたらさざるを得ないと彼女はデカルトを糾弾しています（「デカルトにおける知覚と科学」一九三〇、『科学について』に所収）。

もっともこれは、デカルトのせいというより、むしろデカルトを継承してきた近代人のせいかもしれません。しかし、誰のせいであれ、デカルト路線を走ってきた現代文明はついに人工知能にたどり着き、そこでは代数がかつてないほどに猛威を振るっているのです。ヴェイユの危惧したことが極点に達した時代が現代、ということができるでしょう。

彼女は「代数」に「詩」（poésie）を対置しました。そして、その「詩」が死にかけていると見ました。

労働者たちはパンよりも詩が必要だ。彼らの生が詩となること、そこに永遠の光が灯ることを必要としているのだ。そのような詩は、宗教によってのみ与えられるだろう。宗教は決して人々にとってのアヘンではない、むしろ革命のほうこそ、アヘンとなっているのである。労働者たちが生きる希望を失っているのは、彼らが貧困だからではない、詩を奪われているからなのだ。

（『重力と恩寵』二〇四ページ）

このようにいう彼女は「労働者」たち、すなわち機械的システムの一部となって労働する疎外された人々に、なんとしてでも「詩」を回復せねばならないと確信したのです。

彼女の戦いがマルクス流の階級闘争という形を取らなかったことを見落としてはなりません。マルクス主義にも一定の公式があり、それをすべての事象に当てはめる知的惰性があるからです。彼女はそういうイデオロギーによる闘争よりも、むしろ思考を停止させるシステムとしての全体主義との戦いを選択しました。そこに叡智があったといえるでしょう。

全体主義といえば、彼女の時代にはナチズムとスターリニズムが猛威をふるっていました。これに戦いを挑んだ彼女にとって、「詩」とは思考の自由を意味したのです。なんとなれば、全体主義は思考停止の極致、精神の監獄の完成にほかならないからです。

全体主義が言語の監獄化を徹底させるものだったことを、全体主義の言説を分析したファイユは『全体主義の言語』（*Langages totalitaires* 1972）において幾多の具体例を通じて示しています。なるほどナチスの言説は意味不明の抽象概念と非常に単純な情緒表現の反復であり、そのような言語を毎日定時にラジオを通じて聞かされたドイツ国民が思考停止に追い込まれ、与えられた命令にただ従うだけになったことは歴史が示す通りです。

日本でも全体主義の時代においては意味不明の言説が蔓延しました。そのことは、石原莞爾や大川周明の文章を見ればわかります。今ここで彼らの文体の分析はしませんが、元々は外来語であった漢語、西洋語の翻訳語が氾濫するその書きぶりを見れば、およその見当がつきます。そこには妙にすっきりした論理性があり、肉感がありません。中身のない空疎な文言の羅列なのです。戦時中の新聞の言説にも似たような傾向が見られます。多くは翻訳語彙で、意味不明の漢語の羅列といってよく、本居宣長が強調したやまと言葉からあまりにもかけ離れたものとなっています。「大日本帝国」を強調するその言語が本来の日本語からかけ離れているという皮肉。悲惨以外のなにものでもありません。

東京国際裁判を傍聴した川端康成がそのような日本語の現状を目撃し、次のように感想を漏らしたことはもっと知られてよいでしょう。


被告達は刑の宣告の前後に心境を吐露する言葉を色紙に書いてゐる。古い日本語の和歌か俳句か、古い漢語の詩か短句か、しかも漢語が多い。これについても考へさせられる。殊に宣告の言葉、英語のデス・バイ・ハンギングが日本語ではカウシユケイであり、インプリズンメント・フオア・ライフが日本語ではシユウシンキンコであることは、裁判を聞きながらも、日本語の問題、日本文化の問題として私の頭につきまとつて来る。

（「東京裁判判決の日」一九四九『川端康成全集・第二七巻四〇四－四〇五ページ）

漢語の多用が日本語に多くの意味不明あるいは意味了解困難の語を生んでいることを、この日本語の精髄に通じた作家は嘆いたのです。

なるほど、漢語は字を読めば意味がわかるかもしれません。しかし、耳で聞いただけでは意味が捉えにくい。一方、英語の方は聞いてすぐ意味がわかる。川端が言いたかったのは、どうして「しばり首」というわかりやすい日本語があるのに、字を見なくては意味のとおらない「カウシユケイ」を採用するのかということです。言語は意味がはっきり伝わらねばならないという常識に訴え、日本語の置かれている危険な状況に警告を発したのです。

4　私たちに何ができるか

すでに述べたように、近代科学は概念的言語に依っており、その概念的言語は多義性を許さず、メタファーも許しません。科学の優勢な近代における言語は、仮に意味不明な語の氾濫を克服できたとしても、一義的な概念言語の強制力をつよめることになり、それが流動する思考を固定し、言語が本来もっていた創造力を減退させることになるのです。そもそも概念言語というものが流動する現実の動きを止め、その具体的にして感覚的な相を捨象することで成り立つものだからです。

要するに、人類は概念的言語を得てその知性を飛躍的に発達させたのはいいが、それが仇となって思考が停まるという局面にたどり着いたということです。一方、欲動と情緒は他の生物と変わらないとなれば、言語を持つだけにアンバランスな生物となったことになります。そのアンバランスが他の生物には想像もつかない環境破壊をつづけさせ、核兵器や細菌兵器を製造させるのです。

多くの人はそうした愚行を政治システムのせいにしがちですが、一部の人類のせいで世界がおかしくなっているわけではありません。人類全体がアンバランスな生物であるから、世界がおかしくなっているのです。そのアンバランスは近代科学、とくに代数計算を含めた抽象言語が支配的となってさらにひどくなった。科学者ばかりか、政治家も、資本家も、自分たちの力を超えたこの統御不能の言語にそれと気づかず支配されているのです。

リーマン・ショックにしても、抽象的すぎて誰にもわからない代数計算への過度の信頼がもたらしたものと言えましょう。「お金、機械主義、代数。この三つには完全な相似が見られる」というシモーヌ・ヴェイユの言葉は今こそ私たちに重くのしかかるのです。

現代文明の言語が人類を破滅に導く危険については、動物言語学者の岡ノ谷一夫が小説家の小川洋子との対談において次のように述べています。

考えれば考えるほど、言葉というものがとても特殊なものに思えてくるんですよね。（…）言葉までいってしまうと文明の蓄積ができるでしょう。これはやっぱり言葉まで到達しないとできないことなんですよ。それで、文明の蓄積ができれば宇宙船を飛ばすんですよ。宇宙船を飛ばさないにしても、電波天文学というのが発達しますよね。それで電波天文学が発達すれば異星文化、すなわち地球じゃない文化を探すんですよね。それって、自然の成り行きだと思うんです。（…）ここ十何年で惑星天文学がものすごく進歩して地球型が数百あるだろうということで、その中で、どうしてみんなわれわれのところに偵察に来ないのか。これが物理学者フェルミの唱えた「フェルミのパラドックス」なんですよ。このパラドックスはどう解けるかというとすごい悲惨な解き方があって、「言語を持ってしまうと滅びる」という、それが解の一つなんですよ。言語を持ってしまうと、やがては原子力を使えるようになって、いずれ滅びると。

（『言葉の誕生を科学する』六七－六九ページ）

言語が人類の知性を発達させてしまったことが人類を滅びさせる、と言っているのです。なるほどマンハッタン計画によって原子爆弾を作った物理学者たちは、いずれもが第一級の科学者であり、数学につよく、科学言語に習熟した人々でした。彼らの知性は高度な抽象概念の言語に支えられていたのです。何度も言うようですが、チョムスキーのように言語のおかげで人類は思考の自由を得た、などと喜んでいる場合ではありません。人類は言語という監獄の囚人となることで、確実に自らの命を縮めているのです。

この危険に気づき、言語を現実から乖離しないようにすべきだと主張したひとりに、哲学者ウィトゲンシュタインがいます。「すべて言葉に表せないことについては沈黙すべきである」という句で有名になった『論理哲学論考』（*Tractatus Logico-Philosophicus* 1921）において、彼は「現実」を写さない言語は使用すべきでないと強く主張しました。その言わんとしたところは、言語は私たちの日常の生から離れてはいけないということであり、抽象的でつかみどころのない言語を使用することは危険であるだけでなく、倫理に反するということだったのです。

そうはいってもウィトゲンシュタインの言葉は抽象的で難解だ、と彼に抗議することもできます。そのことを見越して、彼はその書の末尾において次のように言っています。

私が述べてきたことを理解する人は、結局のところ、私の述べてきた全てがナンセンスだということを、それを足場にしてさらにその上へ登ろうとする時に理解するだろう。（言ってみれば、梯子を使って上へ登ったなら、その梯子は捨て去らねばならないのだ。）

（『論理哲学論考』七四ページ　引用は拙訳）

今まで自分が言ってきたことを理解したなら、ただちにこれを忘れ去ってほしいというのです。

読者を困惑させるこのくだり、初期仏典の「筏の寓話」を知っている者にはピンと来るものがあります。初期経典『長部』「大般涅槃経」に見られる筏の喩えがそれです（『原始仏典』六四－六五ページ）。ウィトゲンシュタインがこれを知っていたかどうかは別として、ブッダは自分の教えを筏に喩え、筏に乗って向こう岸に渡ることができたのなら、その筏は打ち捨てよと諭したのです。この教えと、ウィトゲンシュタインの思想とのあいだに共通性があることは明らかです。洋の東西を問わず、行き着くところまで行った思想とはそういうものなのかも知れません。

ついでながら言えば、紀元二世紀のナーガールジュナ（＝龍樹）は世界で最も古い部類の言語批判者で、このインドの哲学者をウィトゲンシュタインと並べて論じる人もいるほどです（塚原典央「言語ゲームと縁起：ウィトゲンシュタインとナーガールジュナの言語批判哲学」）。大乗仏教を代表するこのインドの哲学者は、その「中論」（紀元二世紀？「中頌」ともいう）において、言語が現実を指示すると考えることは、実体のないところに実体を虚構することであり、そこから迷妄が生じると説いたのです（『大乗仏典』三七一ページ）。現実を絶対的真実として信じ込む心的体制がつくられれば思考は停止し、精神の自由が奪われるということを言いたかったようです。

そのように主張した彼が、言語を全否定したわけでもなかったことは注意すべきです。以下の言葉に注意しましょう。

二つの真理（二諦）にもとづいて、諸仏は法を説かれる。

（二諦）とは世俗諦と第一義諦とである。
何人でも、この二つの真理の区別を知らない人は、
深甚なる仏の教えを了解しないのである。
世俗的なことにもとづかなければ、第一義は説示され得ない。
しかも第一義に到達せずしては、涅槃は証得されない。

（『大乗仏典』三七一ページ）

私たちは言語なしに社会生活を営めないのだから、これを方便として用いればよいと言っているのです。つまり、言語を信じるな、しかし便利な道具として使うことは構わない、そういう柔軟なスタンスです。

ナーガールジュナはスタンスは柔軟でも、彼の言語批判は徹底したものでした。そのことは、彼が「中論」の第二章と第八章で言語があらわす行為の主体と行為、すなわち主語と述語に相当する語についてそれぞれ実体を示さないと述べていることにはっきり示されています。主語も述語も実体を示さないのなら、文も実体を示さないことになり、言語表現そのものも実体を示さないことになります。

このような言語批判は古今絶無といってよく、二〇世紀になってウィトゲンシュタインがようやくそれに匹敵することを成し遂げたといえるでしょう。この二人の言語思想は今の時代への貴重な警鐘として、私たちの心に銘記しておかねばなりません。

以上から、私たちにできることは以下のことだと思われます。一つには言語を信用しすぎないことです。とくに抽象的な概念の言語、また意味不明の言語には警戒が必要です。それらに呑み込まれると精神が麻痺します。思考停止になるのです。

ナチスの言語を見るまでもありません。イスラム過激派のコーランの暗唱を見るまでもありません。オウム真理教の言語を見ても、意味不明の語彙が信徒たちの精神を完全に麻痺させていたことがわかるのです。しかし、そういう意味不明の言葉には人を惹きつける威力があるようです。どうやら人は、そうした言語の奴隷になりやすいのです。

言語を信用しすぎないことと同時に、言語を使用するからにはそれが現実と対応するように使用することが大切です。現実と対応しない言語には用心しなくてはなりません。とくにニュースの言語には気をつけなくてはなりません。どこどこで地震が発生したというニュースは基本的に本当のことでしょうが、どこどこで戦争が起こった、その戦争の主導者はどの国のだれだれであるというニュースを知ると、私たちはついそれを本当のことだと信じてしまいます。しかし、本当にそうかどうかはわからないのです。なぜなら、ニュースもまた一定のイデオロギーの下に編集され、一定の宣伝効果を計算して流されるものだからです。そういうわけで、ニュースを信じ込んで感情的になったり、政治的判断を下したりするのはたいへん危険なのです。

フィクションはどうでしょうか。初めから事実でないとわかっているので、これは現実のメタファーとして受け取ることができます。こちらのほうが危険性は少ないと言えるでしょう。フィクションのなかにもノン・フィクションと称するものがありますが、こちらのほうが危険度は高いでしょう。また、「歴史」と呼ばれるフィクションも、一定の価値観と一定の目的をもって書かれていますから、これを絶対的な真実として受け止めるわけにはいかないのです。

イスラム過激派のテロリストたちは子どもの頃から洗脳されているといいますが、テロリストだけが洗脳されているわけではありません。洗脳とはフィクションを真実として頭脳に刻み込むことです。その際に用いられるのは画像と言語です。現代では言語のみならず、画像もまた信用できないものとなっていることは、ＢＢＣ制作のドラマ『ザ・キャプチャー　歪められた真実』（二〇一九）を見ればわかります。

5　文学は人類を救えるか？

これまでの議論からすれば、科学に代表される抽象的にして概念的な言語は、隠喩に満ちた詩的言語より人類にとってはるかに危険だということになるでしょう。文学愛好者は勇気づけられる思いをするでしょうが、果たして、文学には人類を言語の危機から救う力がほんとうにあるのでしょうか。そこを問うてみたいと思います。

結論から言いますと、文学には思考の自由を奪還する力は必ずしもない、というのが筆者の見解です。一定のイデオロギーにのっとった文学は、それが一見してメタファーで装飾されていようとも、思考停止に私たちを導くでしょう。文学の言語といえども、それが監獄になる可能性もあるのです。

一見してイデオロギーからかけ離れて見える詩的言語であっても、使い古されていけば公式化し、本来の隠喩性と多義性を失うばかりか、代数の公式のようなものとなります。そうなれば、政治的な言説とならないまでも、見えざるイデオロギーの道具となり得るのです。詩的言語の美点を失ってしまうどころか、創造性を摩滅させ、思考の自由を奪うことにもなります。

無名であった田舎教師の宮沢賢治が、岩波書店社長の岩波茂雄宛に次のような手紙を書いています。

わたくしは岩手県の農学校の教師をして居りますが、六七年前から歴史やその論料、われわれの感ずるそのほかの空間といふやうなことについてどうもおかしな感じやうがしてたまりませんでした。わたくしはさういふ方の勉強もせずまた風だの稲だのにとかくまぎれ勝ちでしたから、わたくしはあとで勉強するときの仕度にとそれぞれの心持ちをそのとほり科学的に記載して置きました。その一部分をわたくしは柄にもなく昨年の春本にしたのです。心象スケッチ春と修羅とかなんとか題して関根といふ店から自費で出しました。友人の先生尾山といふ人が詩集と銘打ちました。詩といふことはわたくしも知らないわけではありませんでしたが、厳密に事実のとほりに記録したものを何だかいままでのつぎはぎしたものと混ぜられたのは不満でした。

（大正一四年一二月二〇日　岩波茂雄宛　『宮沢賢治全集9書簡』二九八－二九九ページ）

賢治は自分が『春と修羅』に書いたものは決して「詩」ではないと言っているのですが、この引用でとくに注目したいのは、彼が「詩」というものを「いままでのつぎはぎ」だと言っている点です。彼にとって「詩」とは、あるいは文学とは、古典文学なり有名な詩句なりの「つぎはぎ」に過ぎなかったのです。「つぎはぎ」であれば、そこに何ら創造性はなく、したがって思考の自由もない。この賢治の文学観は多くの文学者、作家、詩人の胸に痛く突き刺さるものでしょうが、「つぎはぎ」の意味するところは、先に述べた公式の応用と同じく、隠されたイデオロギーを間接的に補強するものなのです。

それにしても、賢治は岩波の社長にずいぶん思い切ったことを言ったものだ、と驚く人もいるでしょう。しかし、彼の見方を採用して日本の詩歌史を振り返ってみると、なるほどと頷けることが多いのです。

芭蕉が『新古今』の歌人として西行しか認めなかったことの意味を考えてみましょう。西行は『新古今』の編者でもあった藤原定家とちがって、歌の「つぎはぎ」をしなかった人です。定家はいつまでも『古今』の和歌に執着し、その「つぎはぎ」を断念しなかった。芭蕉はこの二人のちがいを厳しく見定めていたにちがいなく、「つぎはぎ」の歌人に軍配を上げなかったのです。

「詞は古きを慕ひ心は新しきを求め」と『近代秀歌』（一二〇九）で説いたのが定家です。彼は失われた心をではなく、失われた詞を求めたのです。そうなれば、歌は賢治のいう「つぎはぎ」の残骸となるほかありません。「見渡せば花も紅葉もなかりけり」（『新古今和歌集』秋上三六三番）と嘆くその心は、古の心はもはやどこにも見当たらないという現実を、定家が西行のようには直視できなかったことを示しています。

一方の芭蕉は「詞は古きを慕ひ心は新しきを」と言うかわりに「古人の跡を求めず、古人の求めしところを求めよ」と言い切った人です（「許六離別の詞」一六九三『芭蕉文集』二〇六ページ）。「松のことは松に習へ」と説いて（『三冊子』一七〇二）、古典経由ではなく眼前の自然を尊び、それを観察することを求めたのです。彼の精神は「つぎはぎ」の真逆だったといえるでしょう。

同じことは、第一章でも扱ったボードレールと比較してのランボーについても言えます。ランボーの詩の源はいつも自然であり、だからこそ彼は本物の詩は「海の詩」（le Poème de la Mer）であると大文字でつづったのです。

で、そのときから僕は「海の詩」に身を浸したのだった
星々を溶かし込んで
（「酔っ払った船」『ランボー作品集』所収、一五四ページ、引用は拙訳）

一方のボードレールは、彼の空想の産物である「異郷」、西洋的世界観の外にある観念的異郷

を詩の源泉とし、「我が子よ　我が妹よ」で始まる「旅への誘い」（L'invitation au voyage）にそれを示しました。「そこではすべてが調和と美に満ち、贅沢と静寂と官能しかない」（『悪の華』八四ページ）。これが彼の発想です。自然そのものと接することを知らなかった都会人の教養の残骸と言うべきものです。

近代日本の文学はというと、最も傷ましい形で定家を引き継いだのが三島由紀夫でしょう。そのことは彼自身も意識していたようで、「存在しないものの美学——『新古今集』珍解」という定家論を書いています。

たとへば定家の一首、

み渡せば花ももみぢもなかりけり
　　浦の苫屋の秋の夕ぐれ

の歌は何でもつてゐるかと考へるのに「なかりけり」であるところの花やもみぢのおかげでもつてゐるとしか考へやうがない。これを上の句と下の句の対照の美だと考へるのは浅墓な解釈だろう。むしろどちらが重点かといへば上の句である。「花ももみぢもなかりけり」といふのは純粋に言語の魔法であつて、現実の風景にはまさに荒涼たる灰色しかないのに、言語は存在しないものの表象にすらやはり存在を前提とするから、この荒涼たるべき歌に、否応なしに絢爛たる花や紅葉が出現してしまふのである。新古今集の醍醐味がかかる言語のイロニイにあることを、定家ほどよく体現してゐた歌人はあるまい。

（「存在しないものの美学――『新古今集』珍解」）

見事な定家理解と言えますが、この定家にはそのまま三島自身が投影されています。しかも、それは勝手な投影ではなく、むしろ両者の親近性が三島にそうさせたと見るべきでしょう。

しかし、両者の間には、これもおそらく三島自身意識していたと思われるのですが、大きなへだたりがあります。すなわち、定家には古典の影が残骸としてでも残っていたのに、三島にはそれすらなかったというちがいです。つまり、三島は「つぎはぎ」することすら許されなかった。これは大変なちがいです。

定家と三島のへだたりは、中世文学の粋、古典のつぎはぎの絶頂ともいえる世阿弥の謡曲と、その近代ヴァージョンである三島自身の『近代能楽集』（一九五〇）を比べて見るとよくわかります。たとえば、世阿弥の「班女」と三島の同題作品を比べてみましょう。

世阿弥の「班女」はいわゆる狂女物で、主人公の女性は田舎の遊女、そこへ通りがかりの都から来た尊い身分の男が言い寄って二人は一夜を明かし、別れ際にそれぞれの歌を詠み込んだ扇を交換します。その後歳月を経て、男は都の一隅で狂女が踊っているのを見かけ、近づいて見るとその女がかつて自分が授けた扇を手にしているのに気づくのです。そこで彼は自らが持っていた扇を彼女に見せ、二人は互いを認知し、幸せな再会を果たすというストーリーです。

三島の「班女」では、物語の要となる歌と扇の代わりに「肖像写真」が意味を持ちます。かつて愛した女の「肖像写真」を新聞で見つけ、彼女が狂女になっているのを知りながらも男主人公は再会を求めます。

しかし、彼女の住まいを訪れても応対に出るのは彼女と同居する別の女性であって、一向に埒が開きません。そこで彼は切り札として自分の顔写真を示すのです。つまり、そこには歌もなければ扇もない。詩がない、美がない。あるのは写真という味気ない証拠物件だけなのです。

三島の狂女はもちろんそんな写真を信じません。そんな男は知らないと突っぱねます。いつまでも恋を信じ、歌と美を守ろうとする彼女は狂女であることを貫き、精神の正常を自負する男に突き入る隙を与えないのです。

三島のこの能楽は近代日本を表して見事というほかありません。写真が真実で、美や歌などは虚にすぎないという近代の常識が伝統の美を圧殺する様を端的に表しているのです。

問題は三島自身がその男の発想に、すなわち近代的実証主義に囚われてしまっていることです。それだけではない、そのことを彼は自覚していたのです。三島が傷ましいのはまさにこの自覚があったからで、その自覚がなかったなら到底「班女」の近代版など書けなかったでしょう。

扇と歌という媒体あってこそ、世阿弥の田舎遊女と都貴人は再会を果たすことができました。対立二項が媒介されてひとつになったのです。ところが三島においては証拠写真というモノを介入させたがゆえに、対立項の溝をいつまでも埋めることができません。文学の近代が伝統美の死を意味することを、これほど痛切に表した例はありません。

先に謡曲は「つぎはぎ」の絶頂であると書きましたが、それでも世阿弥には救いがありました。彼は古典文学の確固とした記号システムに支えられていたのです。一方、世阿弥より前の時代の藤原定家には、その記号システムの残骸しか見えなかった。これは一体どういうことでしょうか。先に生まれた定家の方が、世阿弥より伝統を保っていたはずなのに。

これについては、世阿弥には過去の残骸をコラージュして新たな文芸を構築するゆとりがあったのに、定家にはそれがなかったと説明しておきましょう。ではどうして世阿弥にはそれをする余裕があり、定家にはなかったのか。定家の時代は貴族文化が滅び、武家文化が台頭してくる時代です。貴族側の定家には世も末だったのです。一方の世阿弥の時代は完全に武家文化の時代です。そこではかつての貴族文化の残骸が、おそらく網野善彦の言う「平民」という新興勢力に吸収されることよって（『中世再考』二〇〇〇）、ある種の命を復活させていたと見ることができると思われます。

三島に戻ると、彼には世阿弥が信じていた記号システムに相当するものがなく、あるのは隠喩性の剝奪された一義的法律言語と実証主義だけでした。そういうわけだから、常人と狂女の対立は乗り越えられず、その対立は矛盾と化していったのです。

日本文学史において三島が存在意義をもつとすれば、それは彼が日本文学の構造美の終焉を表現した点にあると思われます。日本文学は彼とともに死んだ、そう言っても言い過ぎにはならないほどです。
もちろん、三島の後にも伝統が新しい形でよみがえる契機がなかったわけではありません。たとえば中上健次の土俗的な文学には、人の声や虫の声とともに伝統の断片の輝きが垣間見られます。しかし、概して言えば現代文学は言語が味気なくなっている。その味気なくなった言語に新たな味をつけることは至難の技なのです。
とはいえ、それでも人類は、世界のあちこちで既成言語の監獄から自らを解放しようと歌いつづけています。そうした歌が既存の「文学」をはみ出すものとなっていることは注目すべきでしょう。真の歌は「文学」が一度死んで初めて生まれ出るものなのかも知れません。世界中いたるところ、過去の文学の残骸が散らばっています。

人々はパンと同じくらい詩が必要です。言葉に包まれた詩ではなく（そんなものは彼らにとって何の役にも立たない）、彼らの毎日の糧が詩でなくてはならないのです。

（「労働者の状態」二一九ページ）

このシモーヌ・ヴェイユの言葉を忘れないようにしましょう。生そのものが詩とならなくてはならないのです。
彼女の思想を現代風に言いなおせば、科学技術に依存する文明が私たちの生から詩を奪うかぎりにおいて、言い換えればディジタル脳がアナログ脳を侵食するかぎりにおいて、私たちは概念的言語の監獄に収監され、生の意味すらわからなくなっていくということです。そこから自らを救うには、自らの生のなかに本来あるはずの「詩」を回復せねばなりません。

とはいえ、この科学万能の時代、もはや科学技術を抜きにして文学を語れないことも確かです。科学を通らずに文学を語ることは、もはや許されなくなっているのです。本稿を終えるにあたり、寺田寅彦の先見の明ある言葉を引くのはそのためです。物理学者にして俳諧師であった彼の言葉は、今こそしっかり聴きとる必要があるでしょう。

物質と生命の間に橋のかかるのはまだいつの事かわからない。生物学者や遺伝学者は生命を切り砕いて細胞の中へ追い込んだ。そしてさらにその中に踏み込んで染色体の内部に親と子の生命の連鎖をつかもうとして骨を折っている。(…)

生命の物理的説明がついたらどうであろう。

科学というものを知らずに毛ぎらいする人はそういう日をのろうかもしれない。しかし生命の不思議がほんとうに味わわれるのはその日からであろう。生命の物理的説明とは生命を抹殺する事ではなくて、逆に「物質の中に瀰漫する生命」を発見する事でなければならない。

物質と生命をただそのままに祭壇の上に並べ飾って賛美するのもいいかもしれない。それはちょうど人生の表層に浮き上がった現象をそのままに遠くからながめて甘く美しいロマンスに酔おうとするようなものである。

これから先の多くの人間がそれに満足ができるものであろうか。

私は生命の物質的説明という事からほんとうの宗教もほんとうの芸術も生まれて来なければならないような気がする。ほんとうの神秘を見つけるにはあらゆる贋物を破棄しなくてはならないという気がする。

（『寺田寅彦全集・２９０作品＝１冊』41634-41648/52797）


これは「春六題」（一九二二）という随筆からの引用ですが、彼のいう「ほんとうの神秘を見つけるにはあらゆる贋物を破棄しなくてはならない」は熟考する必要があると思われます。「文学」という言葉は使っていませんが、科学を通過することでしか文学は再生できないと言っているのです。詩は科学を通過しなければその存在価値を示し得ないし、そういうことがなければ科学が詩になることもあり得ない。彼はそう見たのです。

寺田の跡を追った数学者の岡潔は「論理も計算もない数学」を理想としたといいます。

大学三年のときのこと、お昼に教室でべんとうを食べながら同級生と議論をして、その終わりに私はこういった。「ぼくは計算も論理もない数学をしてみたいと思っている。」すると、傍観していた他の一人が「ずいぶん変な数学ですなあ」と突然奇声を張り上げた。私も驚いたが、教室の隣は先生方の食堂になっていたから、かっこうの話題になったのであろう、あとでさまざまにひやかされた。ところが、この計算も論理もみな妄智なのである。（…）計算や論理は数学の本体ではないのである。

（「日本的情緒」『岡潔集・第一巻』七〇ページ）

この岡のような人こそ、言語という監獄から精神を解き放つことができるのだと思われます。

第四章

志賀直哉と言語

言語が思考にとっての監獄になり得るとすれば、それに挑戦する自由の戦士が詩人でしょう。日本の近代作家・志賀直哉の言語表現の試みは、彼がその意味での詩人であったことを示すものです。ここではその試みを、脳科学者アントニオ・ダマシオいうところの「意識の核」(core consciousness)をもとに明らかにしようと思います。

「意識の核」とは、生体の環境への反応によって生じる情動に直接関わる意識の始原をいいます。志賀の言語が「意識核」に到達しようとしたということは、彼の言語が人類という生物の最も基本的な姿に忠実であろうとしたということです。そのような作家は、洋の東西を問わず近代文学では稀有でしょう。

一人の日本作家を扱うのに、なぜ脳科学なのか? この科学が意識の問題を扱う以上、哲学、心理学、さらに文学の領域にも入り込むことができるからという答えで満足したいと思います。文学をこの角度から見ることができるならば、長く隔てられてきた科学と文学の壁も取り除かれる機運となるでしょう。

科学を文学に近づけまいとする傾向は依然として根づよいものがあります。しかし、科学技術全盛の時代に、科学からのアプローチを拒んでどうするのでしょう。かつて寺田寅彦が「春六題」（一九二二）で言ったように、芸術も、宗教も、一度土台から科学的に見直さないかぎりその新生は望めないのではないでしょうか。

1　意識とはなにか

「意識」とはなにかという問題から始めましょう。これについては脳科学者ジェラルド・エデルマンが以下のように説明しています。

意識とは、夢のない深い眠りに達した時に失われるもので、（…）その眠りから覚めると回復されるもの、と言っておきたい。目が覚めている状態においては、さまざまな感覚反応によって構成されるひとつの統一された画面が現れる。意識があるとは、このような統一的画面が現れることをいう。

（『第二の自然』一三ページ）

これを要するに、意識とは夢を見ている時も、目が覚めている時も、私たちが見たり聞いたりしている一種の映画のようなものということです。ただし、視覚と聴覚に頼る映画とちがって、私たちは嗅覚も触覚も味覚も画面の構成に用います。また、私たちはその画面に立ち入り、私たちの動きによって次の画面を構成する主体となれます。

画面に統一性を持たせるとは画面に意味を与えることです。あるいは、意味があると感じさせることです。夢の中の画面は目覚めてみると意味不明であることが多いのに、夢を見ている意識にとっては意味があるように感じられます。目覚めた意識にとっては支離滅裂でも、そこにも統一性があるということでしょう。

なぜ意識はそのようにはたらくのでしょうか。これについて大半の脳科学者は生物学的見地を採用しています。すなわち、生物である私たちはなによりも生き延びたい。生き延びるには状況に適した行動をとる必要があり、そのためには意識が意味ある画面を提供しなくてはならない。意味ある画面、統一性をもった画面が構築されなければ、私たちはなんらの判断もできず、いかなる行動もとれない。危険が迫っていても身を守れない。生きるには、各瞬間の世界に意味があることが必要である。そのように説明するのです。

脳の障害で意識の機能が十全でない場合を想定しましょう。統一性ある画面が構築できない場合を想定しましょう。そのような障害を持つ人は、他の人の助けなくして生き延びることはできません。統一性が意識に与える安心感をもつこともできません。生きるとは意味ある世界を生きることであり、意味のない世界は生存を危くするのです。

このように脳科学の観点から私たちの生を考えると、私たちがいかにも生き物であり、それ以上でもそれ以下でもないことがはっきりします。しかも、これは最近になってわかったことではなく、脳科学が発達するよりはるか前、動物行動学者によって主張されていたことでもあるのです。

たとえばヤコブ・フォン＝ユクスキュルは、一九三四年に発表した『生物から見た世界』において、人類だけでなく、猫や犬やその他の生き物も、それぞれに感覚したデータをもとに構築する世界を持っていると主張しました。あらゆる生物がそれぞれの世界観をもち、生物は生きるためにそれぞれにとって意味ある世界を構築するということを、彼は具体例を通して提示したのです。脳科学が発達した現在、彼の提示はますます真実味を帯びてくるでしょう。

もちろん、人類には言語があり、他の生物と大きく異なることは確かです。このちがいによって、意識の生み出す世界が他の生物のそれと大きく異なるものになったとして、何の不思議もありません。大雑把に言って、人類には他の生物では考えられない世界、すなわち生存を超えた領域に意識が広がっており、その結果、環境を大きく変えることができるようになっているのです。

近年になって動物言語学というものが盛んになって、地球上には人類以外にも言語を持つ生物がいるという説もちらほら見えてきました。しかし、そのような主張をする学者でさえも、それらの生物の言語が人類の言語と同じ性質であるとは言っていません。それらの生物に仮に詩がつくれたとしても、その詩の内容は私たちの詩とは大いに異なるにちがいないのです。

また、彼らの言語が私たちの言語のように数理学を発達させているとはどう見ても思えません。おそらく彼らの言語は、彼らの実感を離れた架空世界を構築することはないのでしょう。彼らは量子を考えることも、宇宙の果てを考えることもないと思われます。仮にそれらのことを直感できたとしても、それによって生存の仕方を変えるということにはならないでしょう。

とはいえ、言語を持つから人類は優秀なのだといった単純な結論にたどり着きたくはありません。ほかならぬ言語の非現実性が人類を破滅に追いやる危険性が十分あることは、前章で言葉を尽くして説明したつもりです。人類は所詮生き物なのに、言語のせいでその地位を忘れ、原点を見失って自滅に陥る可能性がある。動物言語学者・岡ノ谷一夫がいうように、言語は人類を人類たらしめたけれども、人類を絶滅に追いやる可能性もあるのです（『言葉の誕生を科学する』六九ページ）。

ところで、意識は生存のためにはたらくと述べましたが、言語を持つ生物である人類は、言語が社会的産物であるがゆえにその意識に社会の制約が加わります。個体の生存という目的がしばしば社会の持続という目的とぶつかり、そこに衝突が生じ、そのために個々人の意識は非常に不安定なものになるのです。

この戦いで勝つのは社会です。しかし、個人の生を守ろうとして社会の与える言語を拒否し、言語に新たな命を吹き込もうとする人も時にはいます。そのような新言語の創造者こそ、私たちが「詩人」と呼ぶ存在です。

断っておきますが、そのような詩人も社会の成員であることに変わりはありません。社会が課す言語に抗して新たな言語を開拓することで、結果として彼らは社会を活性化することになるのです。
サイバネティックスという言葉がありますが、それを開発したノーバート・ウィーナーのシステム工学的な見方をすれば、社会はひとつのシステムであり、このシステムが機能しつづけるにはフィードバックが必要です（『サイバネティックス――動物と機械における制御と通信』一九六一）。詩人はシステムにとってノイズと映ることもあろうけれども、ノイズはつねにフィードバックが機能するように警告を発するものです。つまり、詩人は社会にとってのフィードバック誘発剤なのです。

先にも述べたように、言語が数理学を発達させ、人類をかつてないほど「高い地位」につかせたことは確かです。しかし、人類が築いた数理学がきわめて抽象的な言語を使用することによって、それを使用する人々の実感はおろか、想像力をも超える世界、すなわち意味不明の世界が広がってしまったことも確かなのです。そのような意識の限界を超えた世界は虚の世界であり、これが実の世界を吸収してしまうとなれば、人類の生存は根底からゆらぎます。私たちの時代がこの脅威にさらされていることを、私たちはもっと自覚すべきでしょう。

言語が持つ危険性について、前出のエデルマンも、これから登場するもう一人の脳科学者ダマシオも、たいして気にしていないように見えます。そもそも脳科学者は言語が脳に与える影響についてあまり語らないのです。研究するのが難しいのかもわかりませんが、ともかくまだ明確な答えを出していないようです。

エデルマンによれば、人類の脳は感覚で得られた情報を受信して処理し、そこから生まれる判断を末端神経に伝達し、そこから身体行動が生まれます。一方、受け取った情報を脳のあちこちで再受信し、それらを総合して統一的ヴィジョンを構築するともいいます。この統一的ヴィジョンが彼のいう「意識」なのです。

意識が生まれるには情報の脳への「再入力」(reentry)が必要だと彼はいいます(『意識の世界』一〇五－一〇六ページ)。このとらえ方は脳を情報処理器官あるいは認知器官とみるとらえ方で、彼が人工知能をつかって脳のシミュレーションを試みるのもそのためです。彼自身は人工知能は決して人類あるいは他の生物の脳と同等ではあり得ないと明言していますが、情報処理器官として脳を扱うかぎり、人工知能に一定の代替性を認めていることに変わりはありません。

一方のダマシオはエデルマンが扱わない分野、すなわち「情動」(emotion)に注目し、そこから意識の誕生に迫ります。情動とは生体が変化する環境のなかで自己存続のために起こす興奮・不安・恐怖・安楽などをいい、それが脳の発達した生物においては統御され、喜びや悲しみや怒りといった「感情」(feeling)へアップグレードすると彼は主張しています。意識はこの情動と感情の中間に生じ、身体と精神の仲立ちをし、感情発達の手立てとなるというのです（『意識と自己』五二−五六ページ）。

感情とは意識された情動であるというこのテーゼは、感情が十分に発達しないと理性の十全な働きは保証されないというもう一つのテーゼにつながります。ダマシオはこの第二のテーゼを掲げた『デカルトの誤り』（Descartes' Error 1994 二四五−二四七ページ）によって、世界的に有名になりました。

本稿のキイワードとなるダマシオの「意識の核」（core consciousness）ですが、すでに述べたように、彼は意識を情動と感情の中間に位置づけています。その意識が発動する初期状況、すなわち身体的な情動が脳によって分類され、喜び、悲しみ、苦痛、安楽といった人間的感情にアップグレードするその瞬間の意識を、彼は「意識の核」と呼ぶのです。この核が形成されないと高次の感情は形成されず、高次の感情の形成がないと社会生活はできないし、理性の十全な発達もない。その意味で、「意識の核」はすべての精神活動の原点ということができます。

ダマシオは言語の介入がこの「意識の核」にどういう変化を与えるのかについて語っていません。言語によって喜びや悲しみという「感情」を表現することができることは誰もが知っていますが、言語がそうした感情の基層にある「情動」にまで降りてこれを表現することは稀だろうと推察されます。ロマン主義文学は感情表現には熟達しましたが、感情の原点である情動にまでは達し得ませんでした。言語が「意識の核」まで降りることはなかったのです。

これから扱う志賀直哉はその意味で例外的です。感情の原点にある「意識の核」にまで言語の領域を拡大したのですから。彼の文学を一言で言えば「生物主義」ということになりましょう。自然主義文学も到達し得なかった、世界でも稀な文学の達成です。

本書の第三章でも触れましたが、言語と感情との関係については西洋なら一八世紀後半のルソー（Jean-Jacques Rousseau 1712–78）、日本なら江戸時代後期の思想家・本居宣長が早くに説を立てています。同じ頃に生きたこの二人を知ることは、志賀の位置を確認する手立てとなりましょう。

ルソーは『言語起源論』（*Essai sur l'origine des langues* 1781）において、人間の言語の起源は「歌」であり、感情表現としての言語が意味や論理の表現としての言語に先行すると主張しました。一方の宣長は、「排葦小船」（一七五七）「紫文要領」（一七六三）などにおいて、言語の起源を問題にするよりは「歌」が感情形成において果たす役割を重視し、人間は自然と接することで、あるいは恋愛を経験することで感情が形成され、それを歌うことによって自らの感情を知ることができるようになると述べています。それができないと、人はいつまでも人らしくなれないというのです。

この二人を比較すると、どちらもダマシオの論と重なり合うところがありますが、より正確には宣長のほうがよりダマシオに近いといえます。しかし、情動を感情へアップグレードさせるのはダマシオによれば意識のはたらきですが、宣長はこれを歌のはたらきに置き換えています。歌ことばが意識を育て感情を育てるという彼の主張は、言語を意識を翻訳する道具としか見ていないダマシオとは異なります（『意識と自己』一〇七－一〇八ページ）。

では、宣長がいう歌ことばは、ダマシオのいう「意識の核」にまで達するものかどうか。どうやらそれはなさそうです。というのも、彼のいう歌は恋歌が主であり、恋歌は確かに一定の情動に基づき、その情動を感情へとアップグレードさせるのに役立つかもしれませんが、すべての情動が恋情に結びつくわけではないのです。言語が意識の深いレベルにまで達するには、生物学的レベルにまで意識を拡大しなくてはなりません。それは通常の歌ではなし得ないことであり、まして日常言語によっては実現困難です。

通常の言語が私たちの意識の表層部分しか表現できないことは、脳科学的成果をもとに哲学を展開するジョン・ビックルも指摘しています。彼は「わたし」という語が指し示す内容と、身体感覚としての「わたし」との間にはズレがあり、前者を本当の「わたし」だと思うのは妄想であると警告しています（『語りと意識』二〇四ページ）。彼が言いたいのは、「わたし」という語は社会生活上は有用だが、一種の虚構だということなのです。

このことは、もっと身体に即した個体意識、すなわちダマシオのいう「意識の核」に着目すべきだということを示唆しています。これには早くに哲学者のベルクソンが気づいており、彼は言語が身体的個体意識のみならず一切の思考の表現に適していないことを主張しています。『意識に直接与えられるものについての試論』(*Essai sur les données immédiates de la conscience* 1888)においてて、「言語は思考からズレている。言語によって思考は正確には表せない」と述べているのです(一二四ページ)。彼のいう「思考」は直観的洞察を含んでおり、それは身体感覚に即したものでもあります。

文学が意識の深部まで表現しようとし始めたのは二〇世紀の初頭です。意識に現れるさまざまなイメージを言葉にする文学はシュールレアリスムを含むモダニズムの一環であり、その背後には心理学、精神分析、現象学の台頭がありました。この新文学は西欧に起こり、やがてアジアにも波及します。

アンドレ・ブルトンの『シュールレアリスム宣言集』(一九二四)を見ればわかるように、シュールレアリスムはフロイトの精神分析にヒントを得たといえるでしょう。一方、心理学者ウィリアム・ジェイムズの用語を採用し、「意識の流れ」(*stream of consciousness*)の文学と称される運動も同時期に生まれています。意識に浮かび上がるとめどもない一貫性を欠いたイメージの群れをできるだけ忠実に言語化しようとし、その結果、文法規則を破ることにもなった運動です。こうした新思潮のせいで読者は未曾有の苦労を強いられることになりましたが、作家にとって自身の内部を発見していく手掛かりを得ることができたということは否定できません。言語の新たな可能性をひらいたという意味でも、評価することができるでしょう。

とはいえ、今日の脳科学の立場からすれば、彼らモダニズムの作家たちが考えていた意識は意識の表層に過ぎなかった、と言わざるを得ません。ダマシオの用語を用いれば、「意識の核」にまで踏み込むことはなかったのです。例外があるとすれば、フォークナーの『響きと怒り』（*The Sound and the Fury* 1929）でしょうか。この作品の第一章の知的障害者の語りは、明瞭な感情の表現に至らない苦痛に満ちた情動の表現として読者を圧倒します。

問題はどうして大半のモダニズム作家たちが「意識の核」にまで到達できなかったかです。西欧における情動に対するネガティブな態度が影響したのでしょうか。情動は動物にもあり、人間と他の生物をつなぐ身体感覚と一体です。この意識の底辺部は、合理的知性の洗礼を受けた作家たちには手がとどかなかったのかも知れません。

西欧の文学が「詩人は動物にまで責任がある」と言明したランボーのような存在を生み出したことは事実です（『ランボー作品集』三一七ページ）。しかし、彼ら西欧作家たちは知的に洗練され過ぎていたためか、ランボーの拓いた道をたどるかわりに、意識の表層にとどまりつづけました。

これに対し、知性よりは感性を重んじる伝統の中で育った日本文学は、すでに一七世紀に「意識の核」に迫る言語表現を得ています。芭蕉の俳諧がそれで、彼の以下の句はまさに意識の根底に触れているのです。

海くれて鴨のこゑほのかに白し　　（『芭蕉句集』二二八ページ）

日が暮れて海の色も黒ずむのを、芭蕉は「海くれて」と表現しました。これは、フロイトが夢の作業として指摘した「圧縮」（condensation）に相当します（『夢の解釈』二八八－三〇四ページ）。「海が暮れる」という言い方は普通しないのですから。

また、「ほのかに白し」は視覚の限界表現であり、それが「鴨の声」というのだから聴覚と視覚が混一しています。これは意識の底にあるもう一つの意識の表現であり、まさにダマシオのいう「意識の核」に言語の光が当たっているのです。しかも芭蕉はこの句で五－七－五の俳諧の約束を破っています。聴覚を視覚に優先させるためにまず「鴨のこゑ」を置き、視覚が捉えた「ほのかに白」いものがそのあとに現れるのです。認知過程の奥底をのぞかせる語順転換といえます。

芭蕉の句を説明しようとして期せずしてフロイトに言及しましたが、フロイトが言語を「無意識」という未知の領域に接近させたことによって、西欧が芭蕉を理解する道がひらけたといっても間違いにはならないでしょう。このことはつとに寺田寅彦が「連句雑俎」（一九三一）で指摘していることで、彼は半ば夢のようであり半ば目覚めている状態の俳諧的言語に接近するには、精神分析的接近が有効だということを示唆していました（『寺田寅彦全集・290作品＝全一冊』41634-41638/52797）。

西欧ではせっかくフロイトが出現し、意識の深層が言語を介して垣間見られたのに、その後どうしてそれにつづく動きがなかったのか。西欧人の習性である概念的言語への極度の依存が仇となって、フロイトの夢解釈までもが概念化され、多義性を失ってしまったのでしょう。フロイト理論に刺激されて生まれたシュールレアリスムといえども、概念依存症を克服しきれなかったように見えます。

もっとも、ここはシュールレアリスムと精神分析との関係という問題に深入りする場ではありません。日本では芭蕉の俳諧が「無意識」への参入、意識の根底への参入の道をひらいたことだけ述べておけば十分です。これから扱う志賀直哉が芭蕉の俳諧をよく知っていたかどうかは別として、彼の精神的土壌に芭蕉があったことは確かなことです。

3　志賀直哉の文法論

志賀直哉（一八八三－一九七一）は近代日本有数の作家として評価されてきました。文章家としての彼の言語は近代日本語の模範である、という評価まであります。小説家すなわち物語作者としては、たとえば同時代の谷崎潤一郎などと比べて技量に欠けます。しかし、それでも彼の唯一の長編『暗夜行路』（一九三七）は、その主題追求の深さにおいてきわめて高い評価を受けてきました。

文章家ということは、言語についてこだわった作家ということです。志賀は一語一語に、あるいは語と語の連結に、現実との厳密な対応を求めた人なのです。現実との対応のない言語は彼にとって空疎であるばかりか、生理的に許されないものでした。その反応の激しさにおいて、同時代の西欧の哲学者ウィトゲンシュタインを思わせるものがあります。

志賀の言語論は「青臭帖」（一九三七）という短い断章に見つかります。そこで彼は「文法」について次のように言っています。

文法は（テニヲハは別として）一つの約束ではなく、もつと根本的なものだ。文の構造が文法に合はないといふ事は文の約束を守らない事ではなく、頭脳の構造を無視する事だ。

（「青臭帖」『全集・第七巻』所収、三七ページ）

ここで彼が強調しているのは、言語と現実との対応である以上に、言語と「頭脳の構造」との対応です。前述のウィトゲンシュタインより生理学的な発想といえるでしょう。

志賀の文法論は一見すると言語学者のチョムスキーの文法論に近いものです。チョムスキーが言語の構造を脳の構造と関連づけ、「普遍文法」ないしは「深層文法」を唱えているからです（Noam Chomsky: *Syntactic Structures* 1957）。しかし、この言語学者は、別の章でも述べたように論理主義的な立場からそう主張したのであって、志賀のように直観的に文法を思い浮かべ、それを人間の生理に帰そうとしたわけではありません。志賀の発想は生理学的、生物学的なものなのです。

言うまでもないことですが、「頭脳の構造」を問題にする志賀の文法論は日本語文法の域を超えるものです。彼のいう「文法」はいまだ制度化されていない自然文法であり、それは「頭脳の構造」に従うものなのです。それゆえ、彼は文法を単なる「約束」ではないと言い切ります。「文法」すなわち「頭脳の構造」、「頭脳の構造」すなわち生理、生理すなわち自然。そういう言語観なのです。

生理的・生物学的な観点に立って意識を見るという点で、志賀は今日の認知科学者や脳科学者に近かったといえます。脳科学者の中でもとくにダマシオに近い発想を持っていたといえるでしょう。身体感覚でとらえる快・不快は情動の最も基本的なものですが、すでに見たようにダマシオはそこに着目し、そこから意識を考えました。

志賀の言語表現を近代日本語の最高峰だという人もあり、彼の文学は日本的であるとの印象を与えます。しかし、以上見た彼の言語観は日本人一般の言語観とは大きく異なるものです。日本人にとっての言語はなによりも日本語であり、それ以上を出るものではありません。志賀は日本語を超えたある種の理想言語、普遍言語を考えていたのです。

もっとも、人間のなすすべてが自然のなせる業だという彼の見方は、『古事記』以来の日本の伝統に根づいたものでもあります。志賀の発想は制度化された「日本」を超えるものではあったにせよ、いまだ制度化されていない「原＝日本語」的発想であったということは不当ではないかも知れません。志賀が日本的か、そうでないのか、何を「日本的」とするかによって決まることです。

4 志賀文学のスタンス

精神分析をも含めた心理学が日本文学に影響を与え始めたのは二〇世紀になってからです。科学文明の洗礼を受けた日本人は心理学に多大な興味を持ち、これを最新の科学として吸収しようとしました。そして、西欧で起こった「意識の流れ」と称する心理主義文学の流れを見て、これを自分たちの文学にも生かそうとしたのです。川端康成がその最初の試用者であり、「針と硝子と霧」（一九三〇）や「水晶幻想」（一九三一）といった作品を生んだことはメベッド・シェリフの研究が示しています（「昭和初期における意識の流れの受容を巡って」二〇〇三）。「意識の流れ」の影響を受けた日本文学作品として最良のものは、しかし川端のではなく、その友人の横光利一の「機械」（一九三〇）だというべきでしょう。この作品が優れているのは、横光が西欧文学の新手法を駆使して近代日本人の精神的混乱を描出するのに成功しているからで、混乱を混乱のままに描き出す文体を創始したことこそ特記すべきでしょう。

さて、本稿で取り上げる志賀直哉はそうした心理主義の流れとはまったくといってよいほど縁がありませんでした。フロイトもジェイムズも知らなかったにちがいありません。だが、そうであってもなお、彼の文学に心理学の影が宿っていないとはいえません。むしろ逆で、彼は彼なりに心理学探求をし、己の心象をできるだけ正確に記述することを自らに課していたのです。

すでに述べたことですが、志賀の自身の精神への迫り方は生理学的で、現代の脳科学に近いものです。しかし、それと同時にフロイトにも近い発想を持っていたと言うことができます。長編『暗夜行路』の主題は近親相姦の禁忌を含み持ち、エディプス・コンプレックスが鮮明な形で表れています。そこに出てくる夢や妄想の描写も多分に精神分析的なのです。『暗夜行路』をエロスとタナトスの戦いの具象化と見ることは、決して的外れとはいえません。

とはいえ、ここはフロイトと志賀の比較をする場ではないし、『暗夜行路』を論じる場でもありません。志賀がいかにして「意識核」の言語化を実現したかを確認するのが本稿の目的です。

まずは志賀文学が何を目指していたか、そこから見ていきましょう。志賀が文章を書き始めたのは一九一〇年ごろで、その当時の日本文学は告白文学、自伝的文学が主流でした。中心には自然主義の作家たちがおり、志賀の属していた「白樺派」はこの連中を嫌悪していましたが、それでもこの派の告白的・自伝的傾向を受け継いでいました。

ただし、志賀の場合は自伝的といっても、描くべき自己の捉え方がちがっていました。彼は自己の意識の奥底にあるものを抉り出そうとしたのです。一九一二年三月七日の日記に、以下の言葉がみつかります。

人間は――少なくとも自分は自分にあるものを生涯かゝって掘り出せばいゝのだ。自分にあるものをmineする。これである。

（『志賀直哉全集・第十巻』五五六ページ）

ここで志賀が「自分」を「掘り出す」「mineする」という言葉を使っていることに注目しましょう。彼は「自分を掘り出す」ために文章を書きつづけたのです。その結果、彼の言語は身体レベルにまで踏み込み、ついに他の生物との接続領域である「意識の核」にまで踏み込むことになりました。その結果が、前にも述べたように、まことに稀有な文学の実現となったのです。

とはいえ、同じ志賀の作品でもそこへの到達度に優劣はあります。これから見る「城の崎にて」（一九一七）は、おそらく「意識の核」を最もよく言語化できた例でしょう。この作品はしばしば「心境小説」の名作だと言われますが、「心境小説」なるものの意味が不明瞭である以上、この語に頼ることは避けたほうがよいと思います。むしろ、自己の心理を生理学的レベルにおいて追求した作品、そうとらえたほうが当を得ていると思われます。

5 「城の崎にて」

「城の崎にて」は、志賀直哉が列車事故で大怪我をした後、城崎温泉で養生しているときの心的状態をつづったものです。記述が事実の通りであるか否かといえば、必ずしも事実ではなく、自身の経験と思索をきちんと再構成した結果として生まれた作品だと言ってよいでしょう。一見自伝的に見える同じ作者の他の作品も同様で、たとえば短編「鵠沼行」は事実そのままを書いたようでいて、そうではありません。この作品についての彼自身の解説に、それが示されています。

> 総て事実を忠実に描いたものだが、唯、一ヶ所最も自然に事実ではなかつた事を書いた所がある。さういふ風にはつきり浮かんで来たので知りつつさう書いた。後に其時一緒だつた私の二番目の妹が、色々な事を私が覚えてゐると云ひ、然し自分も此事はよく覚えてゐると云つたが、それがその一ヶ所だけ入れた事実ではない場所だつた。（…）最も自然に浮かんで来た事柄は自然なるが故に却つて事実として妹の記憶に甦つたのだらうと考へ、面白く思つた。
>
> （「創作余談」『志賀直哉全集・第八巻所収、七ページ）

これを読んでわかるように、志賀にとって大事だったのは「自然に浮かんで来た事柄」を書くことだったのであり、「事実」を書く事ではなかったのです。「自然に浮かんで来た」とは、もちろん彼の意識に浮かんできたという意味です。「意識の流れ」を中心とする文芸思潮の影響が現れていると言いたくなるところですが、彼が当時の文芸潮流となりつつあった「意識の流れ」に忠実だったならば、「意識の核」という深い部分にまで到達できなかったでしょう。彼には彼なりの意識への迫り方があったのです。

「城の崎にて」の主題は生きとし生けるものに必ずやってくる「死」です。志賀自身が列車事故による傷からようやく癒え始めた城崎温泉でのさまざまな思いをつづったもので、死のイメージがなかなか消えない精神状態、世界のどこにでも死が潜んでいるという実感が抽象的な思索ぬきに語られています。

作品には三つの死が登場します。志賀自身は死を免れたわけですが、彼の周囲にいとも簡単に起きた死を三つの場面に限定して描いています。一つは温泉宿の屋根瓦の上に見た蜂の死。二つ目は首に串が刺さっていても必死に生きようともがき、やがては死んでいくドブネズミ。三つ目は作者自身が意図することなく投げた石に当たって偶然に死ぬイモリです。

これらはいずれも人間ではありませんが、生命をもつ存在である点で人間と共通します。志賀がこの作品で問題にしている死は人の死ではなく、生物一般の死なのです。

死を描いた文学作品は多々ありますが、大半は人間の死です。昨今は動物行動学者が書く文章にときおり動物の死を扱ったものが見られますが、それでも人間と他の動物の死を同等に並べる発想は見られません。「城の崎にて」は、その意味でも稀な作品です。

この作品は死というものが生物には避けられないものながら、どの生物も必死に生き延びようとするものだということを示しています。また、生あるものは死のことはあまり考えず、ひたすら生きつづけようとするものだということも示しています。けれども、人も動物も結局は同じだといった乱暴な主張ではなく、ほんのちょっとしたことで生死が決まってしまう偶然性に焦点を当てている点が特徴的です。しかも、そこから虚無思想を展開するわけでもなく、すべての生き物に共通の運命を実感することに終始しています。

このような死生観を、仏教といった既存の思想に結びつけることにはあまり意味がないでしょう。そんなことをすれば一種の神秘主義やオリエンタリズムを誘発してしまい、作品の普遍的価値を評価することを妨げます。重要なのは志賀が生物学的に世界を見ていることであり、彼が探索した真実が生物学的真実だったということです。

「城の崎にて」の冒頭部に以下の文章が見つかります。

頭はまだなんだか明瞭しない。物忘れが烈しくなつた。しかし気分は近年になく静まつて、落ち着いたいい気持がしてゐた。稲の獲入れが始まる頃で、気候もよかつたのだ。

（『全集・第二巻』一七五ページ）

列車事故から助かりはしたものの、まだすっかり癒えたわけではない精神状態が描かれていま す。注目すべきは最初の文の主体が「頭」であること。それが二番目の文の「物忘れ」につながるのです。そして、三番目の文で主体が「気分」へと移行し、最後に「気候」が主体となる。「頭」から「気分」、「気分」から「気候」へというこの移行は自然であり、身体の一部から全体へ、その全体からそれを囲む環境へと広がっていくのです。その結果、「落ち着いたいい気持」になるというわけです。

この部分に「私」とか、志賀がよく使う「自分」とか、作者の存在を表す語が出ていたとしたらどうでしょう。一般読者はそれでも構わないと思うかもしれませんが、志賀の眼目は生体としての個の実感をそのままに表現することにあり、対社会的な意味での個の意識はここでは必要ないのです。脳の活動が鈍化している場合、まず意識されるのは身体で、社会的な文脈のなかでの意識はもっと脳が活発にならないと出て来ません。ここで表現されているのは、最低限の生物的次元での意識なのです。まさに、ダマシオのいう「意識の核」です。

とはいえ、そのときの作者の心的状態は興奮とはほど遠く、むしろその対極にある状態であったと書いてあります。すなわち、死に面した生物に特有の静かな安楽が表されているのです。作者が感じているのは生の欲望ではなく、死にたいという欲望でもなく、生きる身体でありながら限りなく死に親しみを感じている状態です。フロイトなら「ニルヴァーナ」と呼んだであろう状態に近いものです（『快感原則の彼岸』五〇ページ）。

死に親しみを感じている作者は、散歩をしていても、つい死の方向に歩み出してしまいます。

或夕方、町から小川に沿ふて一人段々上へ歩いていつた。山陰線の隧道の前で線路を越すと道幅が狭くなつて路も急になる、流れも同様に急になって、人家も全く見えなくなつた。もう帰らうと思ひながら、あの見える所までといふ風に角を一つ一つ先へ先へと歩いて行つた。物が総て青白く、空気の肌ざわりも冷々として、物静かさが却つて何となく自分をそわそわとさせた。大きな桑の木が路傍にある。彼方の、路へ差し出した桑の枝で、或一つの葉だけがヒラヒラヒラヒラ、同じリズムで動いてゐる。風もなく流れの他は総て静寂の中にその葉だけがいつまでもヒラヒラヒラヒラと忙しく動くのが見えた。自分は不思議に思つた。多少怖い気もした。然し好奇心もあつた。自分は下へいつてそれを暫く見上げてゐた。すると風が吹いて来た。さうしたらその動く葉は動かなくなつた。原因は知れた。何かでかういふ場合を自分はもつと知つてゐたと思つた。

（『全集・第二巻』一七五ページ）

この文章で注目されるのは、まず「山陰線の隧道の前で線路を越す」です。志賀が電車にはねられたのは山手線の線路上を歩いていた時でした。山陰線の線路を越すとき、そのときの記憶がよみがえらなかったでしょうか。よみがえらなかったからこそ、その線路を越えることができたのでしょうが、そこに無意識的な死への傾斜が現れていることは明らかなように思われます。「道幅」が狭くなり、「路」も急になり、「流れ」も急になり、「人家」も見えなくなる。「物が総て青白」く、あたりは異様に静かになる。このようなとき、人は生の証をどこかに求めたくなるものですが、その証となるものは、風もないのに「ヒラヒラ」と動く桑の葉だけなのです。

この桑の葉の動きは生命の信号でしょうか。というのも、動いているからには生きていると感じさせるはずだからです。しかし、その動きのリズムが不自然なほどに同じであり、機械的であり、それゆえ不気味な記号となっています。作者はこの妙な感覚に打ち克とうとして必死に考えます。一体、どうして風もないのに桑の葉がたった一枚、他の葉は動いていないのに動いているのか、と。

すると急に風が吹いて、今度は動いていた葉の動きが止まります。これは予想に反しており、その奇怪さは払拭されません。しかし、風が吹いたことで生の感覚がよみがえったことも確かです。作者は謎から解放されたかのように「原因は知れた」とつぶやきます。

とはいえ、「原因」は明示されません。示されないかわりに、「かういふ場合を自分はもつと知つてゐた」という既知感に置換されます。この既知感のおかげで、知性すなわち生きようという意欲が一応は回復し、一件落着と見えるのです。しかし、本当に不安は解消されたのでしょうか。

先の引用部分から「生への意志が科学の源泉となる」といった一般論を引き出すことも可能で

す。しかし、それよりも作者が「かういふ場合を自分はもつと知つてゐた」という既知感（＝デジャヴュ）を抱いたことのほうが大事でしょう。既知感は意識の緊張の低下と関係すると言われます（楠見孝「メタファーとデジャビュ」『言語』所収三二ページ）。列車事故のショックから作者の意識は低下しており、それゆえに既知感によって心の安定を得ようとしたのです。既知感は精神の連続性、自己同一性を保証する機構としてはたらくものです。

「城の崎にて」で最も印象に残る場面は、作者自らが投げた石に当たってイモリが死ぬ場面でしょう。その箇所を幾つかに分けて引用します。

まず、イモリとの出会い。

だんだんと薄暗くなつて来た。いつまで往つても、先の角はあつた。もうここらで引き返さうと思つた。自分は何気なく傍の流れを見た。向かう側の斜めに自ら出てゐる半畳敷ほどの石に黒い小さなものがゐた。蠑螈だ。まだ濡れてゐて、それはいい色をしてゐた。頭を下に傾斜から流れへ臨んで、ぢつとしてゐた。体から滴れた水が黒く乾いた石へ一寸ほど流れてゐる。自分はそれを何気なく、しやがんで見てゐた。

（『全集・第二巻』一八一ページ）

あたりが薄暗くなり、夜が迫ってくる時刻です。「いつまで往つても、先の角はあつた」とあるように、無限の闇に引き込まれていく感じです。しかし、作者はさらに向こうへ行こうとすることに危険を感じます。死の世界への誘いに抗おうとして引き返そうと思うのです。

そこへ生の証がはっきりとした形で現れます。「傍の流れ」です。水の流れは生命を感じさせます。そして、「蠑螈《イモリ》」。唯一、そこで生命を十全に満喫している存在です。

「濡れてゐて、それはいい色をしてゐた」とあるように、作者はそれに好感を抱いています。だからこそ、その体から水が滴るのをしゃがんで見つづけるのです。ようやく本当の生命とめぐり合ったという感じ。あの桑の木の葉の動きは、これに比べると本物の生命の動きではなかったのです。

この引用につづくのは、作者のイモリという動物との出会いの回想です。


自分は先ほど蠑螈は嫌ひでなくなつてゐた。蜥蜴は多少好きだ。屋守は虫の中で最も嫌ひだ。蠑螈は好きでも嫌ひでもない。十年ほど前によく蘆の湖で蠑螈が宿屋の流し水の出る所に集まつてゐるのを見て、自分が蠑螈だつたらたまらないという気をよく起こした。蠑螈にもし生れ変つたら自分はどうするだらう、そんな事を考へた。そのころ蠑螈を見るとそれが思ひ浮かぶので、蠑螈を見ることを嫌つた。しかし、もうそんな事を考へなくなつた。（同書、同ページ）

はじめはイモリが好きか嫌いかなどと考え、そこから十年前の記憶がよみがえり、そのころイモリを見るのが嫌だったことが思い出され、それは「自分が蠑螈だつたらたまらない」と思ったからだと説明されるのです。何の意味もない些事に見えるこの回想ですが、作者が自分がイモリになった場合を思い浮かべているところが重要でしょう。すでに、自分とイモリを同等視しており、それが次の場面でイモリが死んだ時の「蠑螈の身に自分がなつて」とつながるのです。

そもそも人が他の動物の身になるとか、その動物に生まれ変わるとか、そういう発想は西洋文学にはありそうもありません。日本とは言わず、仏教の輪廻転生思想の影響の及んでいる地域に特有の生命観であると言えそうです。たとえばトルストイに『ある馬の物語　ホルストメール』(Kholstomeer 1886) という馬の物語がありますが、馬の眼から見た人間の非道が描かれていることの作品で、馬は作者が人間世界を外から見るための装置となっています。この馬は生物ではなく、一種の文学装置なのです。

ところが志賀の場合はそうではなく、人間もイモリも同等に生物として扱われ、むしろ人間のほうが動物化されています。このちがいを東西文化の差異に帰すべきかどうか。そうした比較文化論よりも、どちらがより科学的、生物学的な見方かという問題として考えたほうがよいように思われます。

作者が石を投げ、それが当たってイモリが死ぬ場面を引用します。

自分は蠑螈を驚かして水へ入れようと思つた。不器用にからだを振りながら歩く形が想はれた。

自分はしやがんだまま、傍の小鞠ほどの石を取り上げ、それを投げてやつた。自分は別に蠑螈を狙はなかつた。狙つてもとても当たらないほど、狙つて投げることの下手な自分はそれが当たることなどはまつたく考へなかつた。石はコッといってから流れに落ちた。石の音と同時に蠑螈は四寸ほど横へ跳んだやうに見えた。蠑螈は尻尾を反らし、高く上げた。自分はどうしたのかしら、と思つて見ていた。最初石が当たつたとは思はなかつた。蠑螈の反らした尾がしぜんに静かに下りて来た。すると肘を張つたやうにして傾斜に堪へて、前へ突いてゐた両の前足の指が内へまくれ込むと、蠑螈は力なく前へのめつてしまつた。尾はまつたく石についた。もう動かない。蠑螈は死んでしまつた。自分はとんだ事をしたと思つた。

（『全集・第八巻』一八二ページ）

多くの読者は、この箇所の志賀のイモリの身体の変化を描写する細かさに驚嘆するにちがいありません。生きた身体が動きのない物体へと変化する様を正確に捉えており、そこにいかなる感情が入り込む余地もないのです。

このような描写は作者が生命という現象にのみ焦点を合わせているからこそ可能だった、と言ってよいでしょう。似たような描写は『和解』（一九一七）における作者自身の「赤子」の瀕死状態の描写にも見られます。志賀文学の真骨頂というべきものです。

感情が入り込まない精密な描写とはどういうことでしょうか。脳科学者ダマシオの「感情」

（feelings）の定義を思い出したいと思います。ダマシオは生物として環境に適応するための身体の自動調節装置が「情動」（emotion）を生み出すといい、その「情動」が意識化されて初めて「感情」となると言っていますが、志賀がここで描写している生命現象は「情動」のレベルを如実に示すものであって、いまだ「感情」に至ってはいないのです。

上の引用文でいうなら、イモリが「もう動かない」状態になったところまでが生命現象の描写に相当します。そのあとの「蠑螈は死んでしまつた。自分はとんだ事をしたと思つた」は、すでに現象から離れた志賀の判断と感情を表しています。たいていの作家はこの最後の二文とそれまでの描写の部分とをないまぜにして書きます。それゆえに、生命現象そのものを正確に描写することができないのです。

イモリが死んだと判断し、自分はとんでもないことをしてしまったと思った作者は、そのあと自身とイモリを比べます。その部分を引用します。

虫を殺すことをよくする自分であるが、その気がまつたくないのに殺してしまつたのは自分にいやな気をさした。もとより自分のしたことではあつたがいかにも偶然だつた。蠑螈にとつてはまつたく不意な死であつた。自分はしばらくそこにしやがんでゐた。蠑螈と自分だけになつたやうな心持ちがして蠑螈の身になつてその心持ちを感じた。可哀想に思ふと同時に、生き物の淋しさを一緒に感じた。自分は偶然に死ななかつた。蠑螈は偶然に死んだ。自分は淋しい気持ちになつて、ようやく足元の見える路を温泉宿の方へ帰つて来た。

（同書同ページ）

ここではまずイモリの死が「偶然」の出来事として捉えられています。偶然であるということは、意味を持たないことと同義です。一方、列車事故の傷から癒えた自分は、これも「偶然」に助かったのだと作者は判断します。したがって、生も死も偶然のことであり、必然性がなく、したがって無意味だということになるのです。

生も死も意味がないというこの事実を前に、作者は「生き物の淋しさ」を感じます。この「淋しさ」を作者が否定的に捉えているわけではないことに注目すべきでしょう。ここでの「淋しさ」が不幸と無縁であることは強調しなくてはなりません。

作者が不幸にならないのは、「蠑螈と自分だけになつたやうな心持ちがして蠑螈の身になつてその心持ちを感じた」とあるように、作者には生物どうしの共感が信じられているからです。もちろん、死んだイモリはすでに何も感じていないにちがいありませんが、作者は生と死という二つの事実が生物全体を結びつけていることを実感し、その実感はイモリにもあるはずだと信じているのです。

もっとも、「信じている」という言い方は不適切でしょう。「意識の核」のレベルでは自他の区別が曖昧なはずで、動物と人間の区別もはっきりしないからです。

先にも見たように、この引用箇所の少し前で作者は「十年前」の記憶を語っています。「自分が蠑螈だつたらたまらない」と思ったことを思い出しています。その記憶が志賀の動物観・生命観を示し、独自の「情動」表現に生きるのです。「意識の核」を言語化できるには情動にまで意識を降下させねばなりませんが、志賀にはそれができました。彼は人間だけでなく、生物一般を意識圏にとり込んだのです。

さて、作者はようやく宿へと歩き始め、イモリの死から少しずつ離れ、生と死についての思索を展開します。

遠く町端れの灯が見え出した。死んだ蜂はどうなつたか。その後の雨でもう土の下に入つて了つたらう。あの鼠はどうしたらう。海へ流されて、今ごろはその水ぶくれのした体を塵芥と一緒に海岸へでも打ちあげられてゐることだらう。そして死ななかつた自分は今かうして歩いてゐる。さう思った。自分はそれに対し、感謝しなければ済まぬやうな気もした。しかし実際喜びの感じは湧き上がつては来なかつた。生きてゐることと死んで了つてゐることと、それは両極ではなかつた。それほどに差はないやうな気がした。（同書同ページ）

このように、死んだ三匹の生き物と自分を比べ、生と死が表裏一体であり、ほんの少しの偶然で死が生に、生が死に転ずるという事実を受け止めているのです。自分は死なずに済んだ、神に感謝したい、そういう「喜びの感じ」は彼には起こらなかったと言っています。自分はたまたま生きているのだという実感のほうが勝っているのです。もちろん、生が死を制することを喜ぶ発想も、そこにはありません。

上の引用文には出てこないのですが、この作品の前半部に、生が死を制することを喜び、それを神に感謝するという西洋的発想への言及があります。作者は学校時代に習ったロード・クライヴという人物を思い出し、列車事故で瀕死の状態を味わった自身をそのイギリス人と比べ、死に面したときの心境のちがいを述べているのです。作者には自分が東洋的でクライヴが西洋的だという意識はないようです。ただ、自分にはクライヴのような生についての感慨はないと言っているのみです。

宿に向かう作者がいまだに生死の境界線をさまよっている様を見ましょう。

もうかなり暗かった。視覚は遠い灯を感ずるだけだつた。足の踏む感覚も視覚を離れて、いかにも不確かだつた。ただ頭だけが勝手にはたらく。それがいつそうさういふ気分に自分を誘つて行つた。

（同書同ページ）

これを見てわかるように、生死の境界をさまようとは意識が不統一の状態にあるということであり、意識活動のレベルが非常に低いことを意味します。「視覚は遠い灯を感ずるだけ」であり、「足の踏む感覚」は視覚を離れ、「ただ頭だけが勝手にはたらく」。この極度の不安定は「いかにも不確か」という言葉で端的に表されています。
作品の最後の部分は、作者がようやくその不安定から解放されたことを示しています。

三週間ゐて、自分はここを去つた。それから、もう三年以上になる。自分は脊椎カリエスにならだけは助かつた。

（同書同ページ）

作者は生者の世界、人間の世界に復帰したのですが、それまでに「三年以上」かかったのです。しかも、いくつもの死に臨んだあの体験は忘れられません。死んだイモリのことはとくに忘れることができません。自分がイモリや蜂や鼠と同じく簡単に命を失う存在であることの自覚はいつまでも消えず、それが「城の崎にて」という作品に結実したのです。

6　志賀直哉と日本語

「城の崎にて」が日本語で書かれていることはこの作品にとって必然だったのか、そうでなかったのか、それを検討してみたいと思います。というのも、志賀自身は「頭脳の構造」に忠実な理想的言語を考え、日本語にこだわっていなかったようですが、彼がダマシオのいう「意識の核」の言語化を達成できたのは、ほかならぬ日本語のおかげではないかとも思えるからです。「意識の核」という観点から日本語の特性を考えると、二つのことが思い浮かびます。一つは擬声語・擬態語が多いことなどから、日本語は身体感覚を表す言葉が豊富だということ。もう一つは、日本語には身体を主体とする表現が多いことです。

擬声語・擬態語の例はいちいち上げる必要はないでしょう。身体を主体とする表現となると、たとえば「お腹が空いた」「頭が痛い」「胸が熱くなる」などを挙げることができます。日常使われているこれらの表現の主体は「お腹」「頭」「胸」といった身体の部位です。日本語は身体に即した言語、そう言って差し支えないと思われます。

これを言い換えれば、日本語を使うかぎりにおいて意識の中心は身体にあるということになります。「意識の核」とは身体に密接した意識ですから、日本語で「意識の核」に近づくことは、西洋語などに比べれば容易であると考えられます。言うまでもないことですが、西洋語では上記の表現には必ず「私」（英語ならI）という主体がついてまといます。身体は「私」という総体の部分であり、「私」に従属すべきものとなっているのです。

もちろん、だからといって日本語を用いるすべての人が自らの「意識の核」を自覚できるわけではありません。逆に、日本語を用いない人でも、意識を身体部位に向ける訓練をすれば身体感覚に敏感になり、主体としての「我」から比較的に解放されるはずです。志賀の場合は日本語を用いて「意識の核」に迫ることができたわけですが、同じ日本語を用いて文章を書く他の日本作家にそれができているわけではありません。特別な訓練をしなければ、「意識の核」に迫ることは、日本語を母語とする人でもできないことなのです。

これを要するに、志賀は日本語で書いたから「城の崎にて」のような作品を生み出せたのではなく、意識を身体に集中させてそれを言語化しようとしたからあのような作品を生み出せた、ということになります。

ところで、発達心理学者ハンフリー（Nicholas Humphrey 1943-）は面白いことを言っています。言語未習得の幼児の意識は統一されておらず、したがって「私」という主体の意識はなく、身体の各部に主体意識が拡散しているというのです。しかも彼は、そうした主体の分散化は成人したのちも残りつづけると見ています。たとえば、眠りから覚めた時、人は自分に戻るまで少し時間を要し、その時間の間に身体各部に分散した主体を統一し、ようやく「私」になるというのです（「自己の形成」二ページ）。

このことから理解できるのは、日本語を母語とする人間は身体に意識を向ける習慣を培うことができるが、西洋語を母語とする人々にはそれが難しいだろうということです。逆に、意識を統一して一個の人間となることについては、西洋語を常用している人の方が容易にこれができると推測されます。日本人にとって主体性を確立することは難しく、西洋人にとっては身体感覚に忠実であることが難しい、そう言ってよいと思われます。

さて、ここで思い出さねばならないのは、志賀直哉が主体性の確立を最優先課題とした作家だったということです。これは彼の親友であり、「白樺派」の主導者であった武者小路実篤とも共通する課題でした。その武者小路は、「一個の人間」という詩の中で次のように言っています。

自分は一個の人間でありたい。
誰にも利用されない
誰にも頭を下げない
一個の人間でありたい。
他人を利用したり
他人をいびつにしたりしない
そのかわり自分もいびつにされない
一個の人間でありたい。

自分の最も深い泉から
最も新鮮な
生命の泉をくみとる
一個の人間でありたい。

（『武者小路実篤全集・第十一巻』七六－七七ページ）

このような武者小路に共鳴したからこそ、志賀は「自分は自分にあるものを生涯かゝつて掘り出」したいと日記に書いたのです。

以上のことは、志賀と日本語の関係に跳ね返ってきます。彼は制度化された日本語からできるだけ距離を置こうとし、むしろこの言語を主体的に使用する道を突き進んだのです。多くの日本人は日本語を操っていると思っていますが、むしろ時々の言語の趨勢に従ってその言語に操られています。母語に対して主体性を持って取り組むことができるためには社会に対して距離を置く必要があり、志賀が武者小路と試みたことの一つは、まさにそれだったのです。

「意識の核」の言語化についても同じことが言えます。志賀は自覚的に言語を用い、自らの主体性の根元にまで達しようとし、そこで動物と隣接する「情動」の世界にまで踏み込んだのです。これは尋常なことではなく、これを実現するには非凡な努力が必要であることは言うまでもありません。志賀は才能があったというよりは、自己の根元まで突き進もうとする勇気と努力の人だった、そう言えると思います。

以上から、志賀は日本語を用いたから「意識の核」を表現できたなどというのは浅薄な見方だとわかります。むしろ逆で、彼は日本語の支配を脱し得たからこそ日本語の特質を活かしきることができた、と見るべきなのです。つまり、彼は言語を超えた身体の意識に迫ろうとした。「自然」そのものに迫ろうとした。科学者が「自然」に到達しようとするのとは別の道をとおって、科学者に劣らぬ厳正さをもって、「自然」に接近しようとしたのです。

ここで、彼にとっての「自然」が理解の対象ではなかったことを付け加えておきます。志賀の唯一の長編『暗夜行路』の末尾で、主人公は自然の中に自らが消失していくことに至福を感じています。彼の目標は自然の一部になり切ることだったのです。

しかし、そうなると彼が努力して得ようとした主体性の確立はどこへ行ったのか、ということになります。答えは明白です。志賀は主体を確立できたからこそ、主体を去る、あるいはそれを失うことができたのです。

7　国語問題

本章を終えるに当たって、志賀直哉の日本語との戦いを振り返りたいと思います。

志賀が日本語と戦ったのは、すでに見たように彼が自らの根底にあるものを掘り出したかったからです。そのためには日本語の限界に挑む必要があったのです。ウィトゲンシュタイン（Ludwig Wittgenstein 1889–1951）が『論理哲学論考』（*Tractatus Logico-philosophicus* 1921）において言語の限界に挑み、現実の究極のかたちを明らかにしようとしたのと同様、志賀は志賀のやり方で究極の己を掘り起こそうとしました。その結果が、たとえば本稿で取り扱った「城の崎にて」

なのです。

志賀の言語観の骨子をもう一度振り返りましょう。前にも引いた「青臭帖」（一九三七）の一節です。

文法に従はない文章を書くは不可なり。さういふ文章を讀む事は頭脳を浪費させる不快から堪へ難し。文法は（テニヲハは別として）一つの約束ではなく、もっと根本的なものだ。文の構造が文法に合はないといふ事は文の約束を無視する事ではなく、頭脳の構造を無視する事だ。自分は文法を少しも知らないが、頭脳の構造には忠実に書かうとする。（『全集・第七巻』三七ページ）

ここで志賀が強調しているのは、「文の構造」は「頭脳の構造」に一致しなくてはならないということです。これは文の構造が世界の構造と一致することを求めた初期のウィトゲンシュタインと似ている発想です。両者にちがいがあるとすれば、志賀の「頭脳の構造」は生理学的です。一方、ウィトゲンシュタインのいう構造は論理の構造なのです。志賀はあくまで生理という名の自然に忠実であろうとしたのです。

さて、頭脳の構造に忠実に言語を使用しようとすると、日常使っている言語が障害になることが予想されます。言語の日常使用は慣習化されており、社会常識にあらかじめ適応させられているからです。すなわち、頭脳の構造という自然と使用言語のもつ社会性とのあいだには距離があり、その距離は通常埋められていないどころか、そこに距離があることすら気づかれません。志賀の場合はこの距離に非常に敏感で、それを埋めるべく言語に挑戦しつづけたのです。

このようなわけですから、日本が敗戦した翌年の一九四六年、彼が「国語問題」という文章において国語としての日本語を廃棄せよと提案したとて驚くにはあたりません。この提案は、ほかならぬ日本語の近代をつくった一人と目されるこの作家がそれを言ったことで多くの人々を困惑させましたが、志賀の言語観を知れば、なるほどと思わざるを得ないのです。志賀がかかる提案をしたのは、彼にとって重要なのは頭脳の構造を反映する言語であり、それを忠実に反映しない言語は使用しないほうがいいと考えたからです。

では、日本語は彼がいうほどに頭脳の構造を反映しにくいのでしょうか。日本語が「意識の核」に接近するには有利な言語ではないかという印象をもつ本稿の筆者として、その点が気にかかります。

「国語問題」において、志賀はまず日本語が「文化の進展」を阻害していると主張します。

吾々は子供から今の国語に慣らされ、それ程に感じてはゐないが、日本の国語程、不完全で不便なものはないと思ふ。その結果、如何に文化の進展が阻害されてゐたかを考へると、これは是非とも此機会に解決しなければならぬ大きな問題である。此事なくしては将来の日本が本統の文化国になれる希望はないと云つても誇張ではない。（『全集・第七巻』三三九－三四〇ページ）

では、どうしてそのように日本語を見たのかというと、「具体的に例証することは煩はし過ぎて」出来ないが、「四十年近い自身の文筆生活で、この事は常に痛感して来た」というのです。これでは日本語の問題点は見えて来ませんが、志賀の言語観からすると、日本語では頭脳の構造に忠実に表現することは難しいということだったようです。

彼のこの判断は正しいでしょうか。たとえば、西洋の言語の中でも最も論理に忠実と言われているフランス語を見ると、なるほど論理に忠実であるという意味でチョムスキー的な意味での頭脳の構造をかなりの程度反映していると言うことができそうです。しかし、逆にフランス語では身体感覚から距離があり過ぎて、志賀が実現したような「意識の核」への接近は難しくなると思われるのです。つまり、この二つの言語を比べると、どちらのほうが頭脳の構造により忠実だとは断定できず、それぞれに長所と短所があるとしか言えないのです。

志賀の「国語問題」からもう少し引用します。

私は六十年前、森有礼が英語を国語に採用しようとした事を此戦争中、度々想起した。若しそれが実現してゐたら、どうであつたらうと考へた。日本の文化が今よりも遙かに進んでゐたであらう事は想像できる。そして、恐らく今度のやうな戦争は起つてゐなかつたろうと思つた。吾々の学業も、もつと楽に進んでゐたらうし、学校生活も楽しいものに憶ひ返すことが出来たらうと、そんな事まで思つた。吾々は尺貫法を知らない子供達のやうに、古い国語を知らず、外国語の意識なしに英語を話し、英文を書いてゐたろう。英語辞書にない日本語独特の言葉も沢山出来てゐたらうし、万葉集も源氏物語もその言葉によつて今より遙か多くの人々に読まれてゐたらうといふやうな事までが考へられる。

（同上書三四〇ページ）

これを読むと、日本が無益な戦争を行った理由の一つは日本語にあったということになります。日本語を国語とするかぎり文化の発展が遅れ、学校生活も楽にならないと言っているのです。つまり、日本語には文化を停滞させ、勝てない戦争までさせてしまう非合理性があるということです。果たして、これは正しい見方でしょうか。

たとえば英語と日本語を比べた場合、両者の違いはなんでしょう。ひとつには文字表記。英語はアルファベットだけですべてを表せるのに、日本語は漢字、ひらがな、カタカナを習得しなくては文が読めないし、書けない。したがって、これを習得するのは英語の場合と比べて時間も労力も莫大な量を要するのです。

ほかにも問題があるとすれば、日本語には多大な量の漢語が含まれており、また西洋語からの翻訳語も多々ある。一方、英語はフランス語に比べれば多くの外来語を有するとはいえ、その外来語の大半は同じギリシャ＝ラテン文明圏のものですから、日本語における外来語とは少なからず性質が異なります。日本は東アジアにあるといっても、日本語と中国語はまったく異種の言語で、漢語はその意味で日本語から浮いているのです。自文化から隔たった異文化の言語の翻訳語が多々ある日本語の使用においては、元の語の意味をしっかり把握することなく使用されることがしばしばで、そのような意味不明の語の多用が精神生活に混乱を招きやすいことは明らかです。おそらく志賀はそうした点を心得て、以下のようにフランス語を国語とすることを提案したのです。

そこで私は此際、日本は思ひ切つて世界中で一番いい言語、一番美しい言語をとつて、その儘、国語に採用してはどうかと考へてゐる。それにはフランス語が最もいいのではないかと思ふ。六十年前に森有礼が考へた事を今こそ実現してはどんなものであらう。不徹底な改革よりもこれは間違ひのない事である。森有礼の時代には実現は困難であつたろうが、今ならば実現出来ない事ではない。反対の意見も色々あると思ふ。今の国語を完全なものに造りかへる事が出来ればそれに越した事はないが、それが出来ないとすれば、過去に執着せず、現在の吾々の感情を捨てて、百年二百年後の子孫の為めに、思ひ切つた事をする時だと思ふ。

（同上書三四一ページ）

フランス語が世界中で一番「いい」言語であるか否かは別として、この言語が論理的に整備された言語であることは異論の余地がありません。志賀流に言えば、フランス語は日本語と比べてよほどすっきりしているのであり、その分「頭脳の構造」に忠実に思えたのでしょう。

しかし、そういう志賀が実はフランス語をよく知らなかったという事実があり、それが彼の論の説得力を奪っています。フランス語を提案するからには、この言語をある程度知っておくべきだったのです。また、論理的にできている言語を使用したからといって、論理的思考が発達する保証はありません。言語はその使用法によってその性格が決まるのであって、言語そのものの性格がただちにものの考え方を決定するわけではないのです。日本語でも、使用法いかんでは論理的に表現できます。

さらに言えば、長いあいだ使われてきた言語をいきなりそれとは関係のない別の言語に切り換えることは、歴史と文化の連続性を絶ち、その弊害が大となること必定です。しかし、志賀にとっては日本語を失うことは「寂しい」ことではあっても、次世代を考えればそのくらいの犠牲は仕方がなかった。不用にして害になる部分は切り捨てざるを得ないという外科医的発想であり、それはそれで一理あると思われます。

また、文化の継承の問題について志賀は何も考えていなかったわけではありません。彼は西洋語を国語とした場合、「辞書にない日本語独特の言葉も沢山出来てゐたらうし、万葉集も源氏物語もその言葉によつて今より遙か多くの人々に読まれてゐたらうといふやうな事までが考へられる」と言っています。これも一理あるのではないでしょうか。なんとなれば、「古事記」も「源氏物語」も私たちは現代語訳でしか読めなくなっています。これらを読んでみようという人の数も、確実に減っているのです。

そうはいっても、多くの日本人は志賀の論に納得しないでしょう。日本語にそれほど不便を感じていないからです。しかしそれは、ただ単に使い慣れているから感じないからであり、あるいは自国の言語に志賀が懸念したような問題があるとは思いたくないからです。

ここで今すぐこの問題に決着をつけることはできませんが、以下のことだけは言えると思います。国語としての日本語廃止という志賀の提案は決して解決済みではないということです。本稿が国語問題にまで発展してしまうとは筆者も想っていませんでしたが、この問題は文化全体にわたるものなので、今後も真剣に考える必要があると思います。

仮に日本語の代わりにフランス語を国語として選択した場合を考えてみましょう。志賀のように「意識の核」を言語化することはきわめて困難となったのではないでしょうか。志賀は自分の文学の源泉である日本語に挑み、それをなんとか自分のものにすることに成功しましたが、最終的にはそれを葬り去ろうという、なんとも奇妙な逆説に陥ったように見えます。しかし、そうであってもなお、彼の提案は一理も二理も含んでいるように思われ、彼の提案を部分的にでも取り入れて「国語問題」に新たな道をひらくこともできるように思われます。

では、具体的にはどうするか。英語なり、フランス語なりを日本語と共に国語とするという道をひらいてはどうかと思います。そうすれば、身体感覚と密着した日本語も国語として残り、それでは足りない論理的部分を育てるもう一つの言語との併用でバランスがとれると思うのです。

そんな馬鹿な、というなかれ。実のところ、江戸時代までの日本人はそれをやっていたのです。和漢併用とはそのことで、これが日本語の実情でした。

明治以降、西洋列強に対抗しようとするあまりこの併用路線を捨てて「日本語」なる一言語にこだわってしまったことが、むしろ問題だったのではないか。一言語といっても漢語、外来語、翻訳語と多種多様な語彙が含まれており、語の意味の正確な把握は困難になり、到底まともな言語とはいえないものになっているという事実を見つめるべきでしょう。この「不都合な真実」を無視して、いつまでも「日本語は国語として十分である」という思い込みを持続させてよいものか。この疑問を呈して本稿を閉じたいと思います。

あとがき

二〇一七年に『メタファー思考は科学の母』を出したとき、日頃はあまり本を読まないような人からも「面白い」と言われ、嬉しいと同時に意外にも思いました。自分の本が読まれるのはありがたいには違いないのですが、文学好きの人か、科学哲学の人しか読まないだろうと思っていたからです。この経験が本書を執筆する動機となりました。前書で言い足りなかったこと、また後から学んだことなどを含め、もう一度似たようなテーマに、今度は少し違う角度から挑戦してみたかったのです。

『メタファー思考は科学の母』の本から本書までには六年が経過しています。その間に新型コロナウィルスの蔓延があり、さまざまな活動がストップしましたが、私個人は科学や数学についてじっくり考える機会を得ました。参考文献を見てくださるとわかると思いますが、私の基礎は文学にあるとしても、その領域を超える勉強ができたのは、やはり一定期間、家から出なかったことが大きいのです。

本書の最初の二章は書き下ろしです。第三章は『叙説Ⅲ二〇号』（花書院二〇二二）に発表したものに手を加えました。同誌への投稿を呼びかけてくださった編者の二沓ようこさんに、この場を借りて謝意を表します。

第四章は英語で書いた論文を日本語に直したもので、原文は国際学術ウェブサイトacademia.eduにあります。タイトルはLanguage and Consciousness in Naoya Shigaとなっています。前の三章がいずれも理論的なものなので、この章だけでも具体的なものにしたいと思って書きました。具体的なものといえば、第一章の終わりの方にランボーが出てきますし、第二章にも芭蕉が出てきます。また、第三章の終わりの方にも文学史的な試みがなされ、本書は文学の具体的な考察をひろげて哲学や科学まで及んだものと言ってもよいものとなっています。文学は色の世界、哲学や科学は無色。色を重ねて透明を求めた、とでも言いましょうか。

第四章の最後に日本語の問題を扱っていますが、日本語の現状は惨憺たるものがあるという思いが私にはあります。その思いを読者に共有していただければと思う次第です。

それにしても、人工知能の時代です。まだまだ稚拙なレベルにあるこの人為的装置も、あっという間にすごいロボットになって現れ出るでしょう。

人工認知システムの開発者として知られるアレグザンダーは、「近い将来、情緒をもつロボットが生まれる。それを不可能だとする根拠はどこにもない」と言い放ちました（Igor Alexander:

The World in My Mind, My Mind in the World: Key Mechanisms of Consciousness in People, Animals and Machines, 2013)。しかし、たとえそうだとしても、その「情緒」は逆説やジョークを解さない、あるいは隠喩的なニュアンスを解さない、もっと基本的には具体的文脈を考慮できないものとならざるを得ないのではないかと思います。とはいえ、人工知能を真に受ける人々、あるいはそれが当たり前という世代が登場すれば、そのとき、人智と人工知能の違いは見分けられなくなるかも知れません。そのような日が来ないことを願いますが、もしそれが来れば人類は人類でなくなり、事実上、地上から消え去ることになるでしょう。

もっとも、自然の力が私たちの脳よりも強いことはわかりきっており、人工知能がいくら優れた能力を発揮しても、大きな隕石がひとつ地球に落ちて来れば、あるいは地磁気逆転が起これば、人工知能の依存する電気通信ネットワークは崩れて無力となります。人類も地球もかくも脆いものであるという事実は、やはり動かしがたいのです。

本書の「はじめに」のところで、人工知能は曲線を直線に読み替える微分の考え方の延長線上にあると言いました。微分というのは数学で習うあの微分ですが、ニュートンは曲線を数式にするための手立てとして、曲線を直線の集まりと見立てたのです。この見立てこそは近代科学最大のテクニックの一つですが、そこにある種の誤差が潜んでいることを見逃してはなりません。ニュートンは、おそらくこの誤差が「無限」という概念によって帳消しにされると思ったのでしょうが、そうはいきますまい。誰が言ったか忘れましたが、数学に「無限」はあっても、物理学に

「無限」はないのです。

というのも、曲線は曲線であり、決して直線にはならないからです。逆も真であり、直線は曲線とは明瞭に異なるのです。それなのに、計算を楽にするために曲線を直線化する。これは方便にすぎません。

そんなことをいえば、言葉だってそうだろうと言う人もあるでしょう。たしかにその通りです。言葉も微分と同じで、曲がっているものを真っ直ぐなものに見立てて使っているのです。言葉と物事とのあいだにはいつもズレがあり、すき間があります。だから、言葉を真に受けることは危険なのです。

科学者は、「いや、微分のおかげでさまざまな計算ができる。そのおかげで、一〇〇メートル走の速度変化の計算もできるし、人工衛星も打ち上げられる」と言うかもしれません。けれども、そこで明らかになるのは真の値ではなく、近似値にすぎないことを忘れてはなりません。近似値と真の値との差は決して埋まらない。たとえ、それが一秒の一万分の一であろうと。

最後になりましたが、本書の出版を引き受けてくださった小野静男さん、装幀を引き受けてくださった毛利一枝さんに謝意を表したいと思います。

二〇二三年六月　九州唐津にて

著者記す

参考文献

以下は本書に登場する順に並べた参考文献の一覧で、洋書の場合は邦訳のあるものはすでに流通している邦題を掲げ、ない場合は適宜翻訳して日本語タイトルとした。また、洋書であっても筆者がすでに存在する翻訳を本文に引用した場合は、翻訳書名、翻訳者などを明示した。『』は書名をあらわし、「」は論文名をあらわす。

『哲学史』*Historia de la Filosofía I*, Felipe Martinez Marzoa, ISTMO, 2000

『数の概念』高木貞治著、講談社ブルーバックス、二〇一九

『複素数とはなにか』示野信一著、講談社ブルーバックス、二〇一二

『心は量子で語れるか　21世紀物理の進むべき道をさぐる』ロジャー・ペンローズ著、中村和幸訳、講談社ブルーバックス、一九九九

『零の発見―数学の生い立ち』吉田洋一著、岩波新書、一九七九

『博士の愛した数式』小川洋子著、新潮社、二〇〇四

『物質の究極と人間の意識』半田広宣・佐藤博紀著、デザインエッグ、二〇一五

「想像と秩序―ライプニッツの想像力の理論に向けての試論―」池田真治著 *Prospectus* 21 二〇一〇

『ライプニッツのシステム』ミッシェル・セール著、竹内信夫訳、朝日出版社、一九八五

『ヘルメス』Michel Serres: *Hermes I, La Communication*, Les éditions de minuit, 1969

『科学と詩の架橋』大嶋仁著、石風社、二〇二二

「ミッシェ・セールとシモーヌ・ヴェイユ」Jacques Dufresne: Michel Serres et Simone Weil, un même combat contre la force, *L'Agora, une*

agora, une encyclopédie, le 11 juin, 2019
『科学について』Simone Weil: *Sur la science*, Gallimard, 1966
「ライプニッツにおける想像上の数量の性質について」Shinji Ikeda: La nature des quantités imaginaires chez Leibniz (The nature of imaginary quantities in Leibniz), academia.edu
「複素数講義（3）」坂井秀隆著、「高校生のための現代数学講座」東京大学玉原国際セミナーハウス、二〇一八年七月一四日
『岡潔　数学の詩人』高瀬正仁著、岩波新書、二〇〇八
『小林秀雄全集』小林秀雄著、新潮社、一九六八
「野生の思考の弁明　—小林秀雄の場合」大嶋仁著、『比較文學研究』三三号、一九七七
『悪の華』Charles Baudelaire: *Les Fleurs du Mal*, Gallimard, 1972
『詩の炸裂』Georges Poulet: *Poésie éclatée Baudelaire Rimbaud*, PUF, 1980
『ボードレールからシュールレアリスムへ』Marcel Raymond: *De Baudelaire au Surréalisme*, Librairie José Corti, 1952
『ランボー文芸書簡集』Arthur Rimbaud: *Lettres de la vie littéraire d'Arthur Rimbaud*, Gallimard, 1990
『サント＝ブーヴに抗して』Marcel Proust: *Contre Sainte-Beuve*, Gallimard, 1954
『生物から見た世界』ヤコブ・フォン＝ユクスキュル著、日高敏隆ほか訳、岩波文庫、二〇〇五
『陸上競技チャンピオンへの道』パーシー・セルッティ著、加藤橘夫ほか訳、ベースボール・マガジン社、一九六三
『意識に直接与えられたものについての試論』Henri Bergson: *Essai sur les données immédiates de la conscience*, PUF, 1991
『アインシュタインとベルクソン　我々の時間理解を変えた二人の論争』Jimena Canales: *The Physicist and the Philosopher, Einstein, Bergson and the Debate that Changed Our Understanding*

of Time, Prinston Univ. Press, 2015
『失われた時を求めて』 Marcel Proust: *A la recherche du temps perdu*, Gallimard, 1954
『物質と記憶』 Henri Bergson: *Matière et mémoire*, PUF, 1968
『快感原則の彼岸』Sigmund Freud: *Beyond the Pleasure Principle*, translated by James Strachey, W.W.Norton and Company, 1961
『第二の自然』 Gerald Edelman: *Second Nature*, Yale Univ. Press, 2006
『道徳と宗教の二源泉』 Henri Bergson: *Les deux sources de la morale et de la religion*, PUF,1990
『社会学と哲学』Emile Durkheim: *Sociologie et Philosophie*, PUF, 1985
『さえずり言語起源論』 岡ノ谷一夫著、岩波科学ライブラリー、二〇一〇
『記号の帝国』 Roland Barthes: *L'empire des Signes*, French and European Publications Inc, 2017
『野生の思考』 Claude Lévi-Strauss: *La pensée sauvage*, Pocket, 1990
『今日のトーテミズム』 Claude Lévi-Strauss: *Le totémisme aujourd'hui*, PUF, 2017
『生物学の要点』Walter Elsasser: *The Chief Abstractions of Biology*, American Elsevier Pub., 1975
「海鳥における地磁気の刷り込み」 Henrik Mouritsen: Natal imprinting of the Earth's magnetic field in a pelagic seabird, *Current Biology* 30, 2020
『悲しき熱帯』Claude Lévi-Strauss: *Les tristes tropiques*, Plon, 1957
『なまものと煮たもの』 Claude Lévi-Strauss: *Le crut et cui*, Plon,1964
『原子の時代の一物理学者の回想』 Walter Elsasser: *Memoires of a Physicist in the Atomic Age*, Science History Publications, 1978
『小鳥の歌からヒトの言葉へ』 岡ノ谷一夫著、岩波科学ライブラリー、二〇〇三
『サルの脳からヒトの脳へ』 Dehaene, Duhamel, Hauser, Rizzolatti: *From Monkey Brain to*

Human Brain, 2005
『デカルト派言語学』Noam Chomsky: *Cartesian Linguistics*, Cambridge University Press 2009
『統辞構造論』Noam Chomsky: *Syntactic Structures*; Mouton de Gruyter, 2002
『メタファーで生きる私たち』George Lakoff: *Metaphors We Live By*, The University of Chicago Press, 1980
『文学する心』Mark Turner: *The Literary Mind, the origin of thought and language*, Oxford Univ. Press, 1996
『夢の解釈』Sigmund Freud: *Interpretations of Dreams*, translated by James Strachey, Basic Books, 2010
『語りと意識』John Bickle: Empirical Evidence for a Narrative Concept of Self, in *Narrative and Consciousness, Literature, Psychology and the Brain*, Oxford University Press, 2003
『言語起源論』Jean-Jacques Rousseau: *Essai sur l'origine des langues où il est parlé de la Mélodie, et de l'Imitation musicale*, Édition électronique réalisée le 30 septembre 2002 à Chicoutimi, Québec
『人間不平等起源論』ジャン＝ジャック・ルソー著、本田喜代治・平岡昇訳、岩波文庫、一九七二年
『スピノザを求めて』Antonio Damasio: *Looking for Spinoza*, Vintage, 2004
『意識と自己』Antonio Damasio: *The Feeling of What Happens*, Vintage, 2000
『本居宣長全集』本居宣長著、筑摩書房、一九六八
『知能の心理学』Jean Piaget: *La psychologie de l'intelligence*, Armand Colin, 1967
『重力と恩寵』Simone Weil: *La pensanteur et la grâce*, Paris, Plon, 1988
『全体主義の言語』Jean-Pierre Faye: *Langages totalitaires*, Hermann, 1972
『川端康成全集』川端康成著、新潮社、一九八二
『言葉の誕生を科学する』小川洋子・岡ノ谷一夫著、河出ブックス、二〇一一

『論理哲学論考』Ludwig Wittgenstein: *Tractatus Logico-Philosophicus*, translated by Pears and McGuiness, Routledge and Kegan Paul, 1974
『原始仏典』中村元訳編、筑摩書房、一九八八年
「言語ゲームと縁起：ウィトゲンシュタインとナーガールジュナの言語批判哲学」塚原典央著、『福井県立大学論集五二』二〇一九
『大乗仏典』平川彰ほか訳、筑摩書房、一九七四
『宮沢賢治全集』宮沢賢治著、ちくま文庫、二〇一七
『近代秀歌』藤原定家著、福田秀一編、新典社、一九七二
『芭蕉文集』芭蕉著、岩波書店、一九七〇
『去来抄・三冊子・旅寝論』向井去来・服部土芳著、岩波書店、一九三九
『ランボー作品集』Arthur Rimbaud: *Oeuvres*, Pocket, 1990
「存在しないものの美学」三島由紀夫著、『決定版三島由紀夫全集』、新潮社、二〇〇三
『近代能楽集』三島由紀夫著、新潮社、一九六八
『謡曲班女　解註謡曲全集』世阿弥著、野上豊一郎編、やまとうたeブックス、二〇一八
『中世再考』網野善彦著、講談社学術文庫、二〇〇〇
「労働者の状態」Simone Weil: *La condition ouvrière* (Paris, Gallimard, 1951) en version numérique, Chicoutimi, Québec 2005
『寺田寅彦全集・２９０作品＝１冊』寺田寅彦著、Kindle
『岡潔集』岡潔著、学研、一九六九
『サイバネティックス―動物と機械における制御と通信』ノーバート・ウィーナー著、岩波文庫、二〇一一
『意識の世界』Gerald Edelman/ Giulio Tononi: *A Universe of Consciousness*, Basic Books, 2000
『デカルトの誤り』Antonio Damasio: *Descartes' Error*, Penguin, 1994
『シュールレアリスム宣言集』André Breton: *Manifeste du surréalisme*, Distribooks Inc; 0 edition, 1985

『芭蕉句集』岩波書店、一九八五
『志賀直哉全集』岩波書店、一九七四年
「昭和初期における意識の流れの受容を巡って」メベッド・シェリフ著、名古屋大学大学院 国際言語文化研究科紀要『言葉と文化4』二〇〇三年
「メタファーとデジャビュ」楠見孝著、月刊『言語』岩波書店、二〇〇二年七月
『ある馬の物語　ホルストメール』レフ・トルストイ著、桜井郁子訳、せせらぎ出版、一九八三
「自己の形成」Nicholas Humphrey: One Self, in *Social Research* 67, no.4, 2000
『武者小路実篤全集』小学館、一九八九年

著者略歴

大嶋 仁（おおしま・ひとし）

一九四八年神奈川県鎌倉市生まれ。一九七五年東京大学文学部卒、在学中にフランス政府給費留学生としてフランスに二年滞在。一九八〇年同大学院比較文学比較文化博士課程単位取得満期退学。静岡大学、バルセロナ、リマ、ブエノスアイレス、パリで教えた後、一九九五年福岡大学人文学部教授。二〇一六年退職、名誉教授。佐賀県唐津市で「からつ塾」の運営にも当たる。

著書は『精神分析の都』（作品社）『福沢諭吉のすゝめ』（新潮選書）『ユダヤ人の思考法』（ちくま新書）『正宗白鳥　何云つてやがるんだ』（ミネルヴァ書房）『メタファー思考は科学の母』（弦書房）『科学と詩の架橋』（石風社）など。

生きた言語とは何か
――思考停止への警鐘

二〇二三年九月三〇日発行

著者　大嶋 仁
発行者　小野静男
発行所　株式会社　弦書房
（〒810・0041）
福岡市中央区大名二―二―四三
ELK大名ビル三〇一
電話　〇九二・七二六・九八八五
FAX　〇九二・七二六・九八八六

組版・製作　合同会社キヅキブックス
印刷・製本　シナノ書籍印刷株式会社

ISBN978-4-86329-273-4　C0095

◆弦書房の本

書物の声 歴史の声

平川祐弘 西洋・非西洋・日本の文化を見つめ続ける比較文化研究の碩学が、少年の頃から想像力と精神力を鍛えてくれた177の書物について語る初の随想集。【目次から】『家なき子』／『怪人二十面相』／仏魂伊才と和魂洋才 他
〈A5判・248頁〉 2300円

蘭学の九州

大島明秀 江戸期を通じて蘭学の最前線を担った〈九州〉という視座から、その歴史を描き直す。西洋を理解するために、改めて日本の言語と文化を追究したオランダ通詞・志筑忠雄の驚くべき業績も具体的に伝える画期的な一冊。
〈四六判・160頁〉 1600円

美意識のありか
万葉のこころが育てた感性

樹下龍児 日本人独自の感性はどこからくるのか。自然の風物が造り出す形・音・色・光と影を細やかにとらえ、歌や模様に描き出す。その美意識の源を明治〜昭和初期の近代教科書の中に探り、脈々と受け継がれてきた感性を語る。
〈A5変形判・220頁〉 2000円

セルタンとリトラル
ブラジルの10年

三砂ちづる 南緯3度の世界、ブラジル北東部ノルデステ（セルタンとリトラル）で、公衆衛生学者の眼がとらえた〈重層的な文化〉のゆるがぬ深さと潔さを軽快に描く。土着の美、いのちの誕生と死の受容、独特の宗教観、病との向き合い方など。
〈四六判・296頁〉 2000円

石牟礼道子全歌集
海と空のあいだに

解説・前山光則 〈水底の墓に刻める線描きの蓮や一輪残夢童女よ〉など一九四三〜二〇一五年に詠まれた未発表短歌を含む六七〇余首を集成。「その全容がこれほどまでに豊饒かつ絢爛であることに驚く」（齋藤愼爾評）◆石牟礼文学の出発点。
〈A5判・330頁〉 2600円

＊表示価格は税別